instruments
de musique

Cadre de tambourin
avec sonnailles

Triangle

Kantele finlandais du XIXe siècle

Flûte traversière indienne

Flûte traversière anglaise à quatre clefs, vers 1811

Luth marocain avec
son plectre en plume

Ocarina allemand
du XIXe siècle

Pochette allemande
du XVIIe siècle, sans
son chevalet

Tambour en peau

Sihu chinois
et son archet
du XIXe siècle

Embouchure
de tuba

instruments
de musique

Embouchures de cornet
et de trompette

par
Neil Ardley

Photographies originales de Phillip Dowell,
Mike Dunning et Dave King

Comité éditorial

Londres :
Carole Ash, Vicky Davenport, Jane Elliot,
Janice Lacock et Jane Owen

Paris :
Christine Baker
Edition préparée par
Philippe Rouillé, expert en musicologie
(Musée d'I.M.M., Paris)

Conseiller : Josiane Bran-Ricci, Conservateur du Musée instrumental
du Conservatoire national supérieur de Musique de Paris

Publié sous la direction de
Peter Kindersley,
Jean-Olivier Héron
et
Pierre Marchand

Shakuhachi japonaise
(flûte nasale)

Sifflet portugais
en céramique

Maracas
en bois

Tambour sur cadre indien
d'Amérique du Nord

Cor du Congo en ivoire

Pochette anglaise

Claquettes égyptiennes en ivoire,
vers 1430 av. J.-C.

Flûte de Pan
des îles Salomon

GALLIMARD

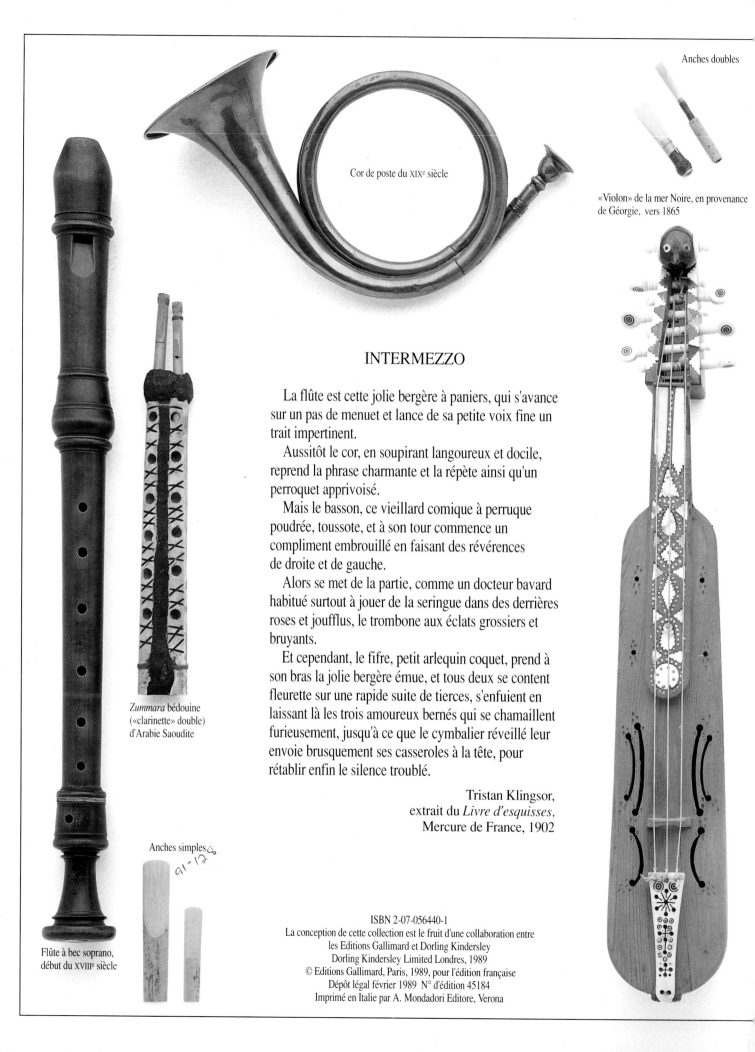

Anches doubles

Cor de poste du XIXe siècle

«Violon» de la mer Noire, en provenance
de Géorgie, vers 1865

INTERMEZZO

La flûte est cette jolie bergère à paniers, qui s'avance
sur un pas de menuet et lance de sa petite voix fine un
trait impertinent.

Aussitôt le cor, en soupirant langoureux et docile,
reprend la phrase charmante et la répète ainsi qu'un
perroquet apprivoisé.

Mais le basson, ce vieillard comique à perruque
poudrée, toussote, et à son tour commence un
compliment embrouillé en faisant des révérences
de droite et de gauche.

Alors se met de la partie, comme un docteur bavard
habitué surtout à jouer de la seringue dans des derrières
roses et joufflus, le trombone aux éclats grossiers et
bruyants.

Et cependant, le fifre, petit arlequin coquet, prend à
son bras la jolie bergère émue, et tous deux se content
fleurette sur une rapide suite de tierces, s'enfuient en
laissant là les trois amoureux bernés qui se chamaillent
furieusement, jusqu'à ce que le cymbalier réveillé leur
envoie brusquement ses casseroles à la tête, pour
rétablir enfin le silence troublé.

Tristan Klingsor,
extrait du *Livre d'esquisses*,
Mercure de France, 1902

Zummara bédouine
(«clarinette» double)
d'Arabie Saoudite

Anches simples

Flûte à bec soprano,
début du XVIIIe siècle

ISBN 2-07-056440-1
La conception de cette collection est le fruit d'une collaboration entre
les Éditions Gallimard et Dorling Kindersley
Dorling Kindersley Limited Londres, 1989
© Éditions Gallimard, Paris, 1989, pour l'édition française
Dépôt légal février 1989 N° d'édition 45184
Imprimé en Italie par A. Mondadori Editore, Verona

SOMMAIRE

Castagnettes

Flageolet,
début du XVIIIᵉ siècle

LES SONS NE SONT RIEN D'AUTRE QUE DES VIBRATIONS DE L'AIR

Lorsqu'on voit comment on joue des instruments de musique, on imagine comment ils produisent un son et pourquoi le son produit est différent d'un instrument à l'autre. Battre le tambour ne donne pas le même résultat que pincer la corde d'une guitare. Mais il n'est pas nécessaire de voir l'instrument pour le reconnaître. Qu'est-ce qui explique, dans la façon dont les sons émis sont transmis à notre oreille, que nous puissions distinguer le cor du violon ? Le son trouve toujours sa source dans la mise en vibration rapide d'une partie mobile et/ou d'un volume d'air. Ces vibrations provoquent, dans l'air environnant, des variations de pression de même cadence. La courbe selon laquelle on peut les représenter prend la forme d'une ondulation plus ou moins complexe et accidentée. La forme de cette «onde sonore» est en quelque sorte la «signature» de l'instrument puisqu'elle est caractéristique du son qu'il produit. Les variations de pression que «transporte» l'onde sonore sont perçues par nos tympans qui les transmettent à des centres nerveux capables de les interpréter et d'en reconnaître les formes.

Musiciens représentés à l'extérieur d'une cathédrale dans un livre d'heures flamand du Moyen Age

LE DIAPASON
Les deux branches de ce diapason vibrent très régulièrement et émettent un son très pur, représenté graphiquement par une ligne courbe régulière. Sa hauteur de son est donnée par la fréquence avec laquelle se reproduisent les crêtes de cette courbe. Plus les vibrations sont rapides, plus le son est aigu.

LE VIOLON
Le violon émet un son brillant, représenté par une courbe en dents de scie. Le son de ce violon a la même hauteur que celui de notre diapason. En effet, les crêtes des ondes produites par les deux instruments sont espacées de la même distance ; leur fréquence est donc identique.

LA FLÛTE
Cette flûte joue la même note que notre diapason ou notre violon. La courbe qui en représente le son est plus ondulée qu'en zigzag, parce que la flûte produit un son plus pur, plus doux et moins brillant que le violon. Mais les crêtes de l'onde se reproduisent toujours à la même distance et donc avec la même fréquence.

LE GONG
Un gong frappé ou des cymbales entrechoquées vibrent de façon irrégulière. Leur son fracassant est représenté par une courbe en dents de scie. A l'écoute, la hauteur exacte d'un tel son est difficile à déterminer.

ONDES SUPERPOSÉES
Quand plusieurs personnes jouent ensemble, les ondes émises par leurs instruments se superposent, et nos tympans perçoivent un son très complexe. Pourtant, notre cerveau reste capable de déterminer quels sont les instruments dont on joue.

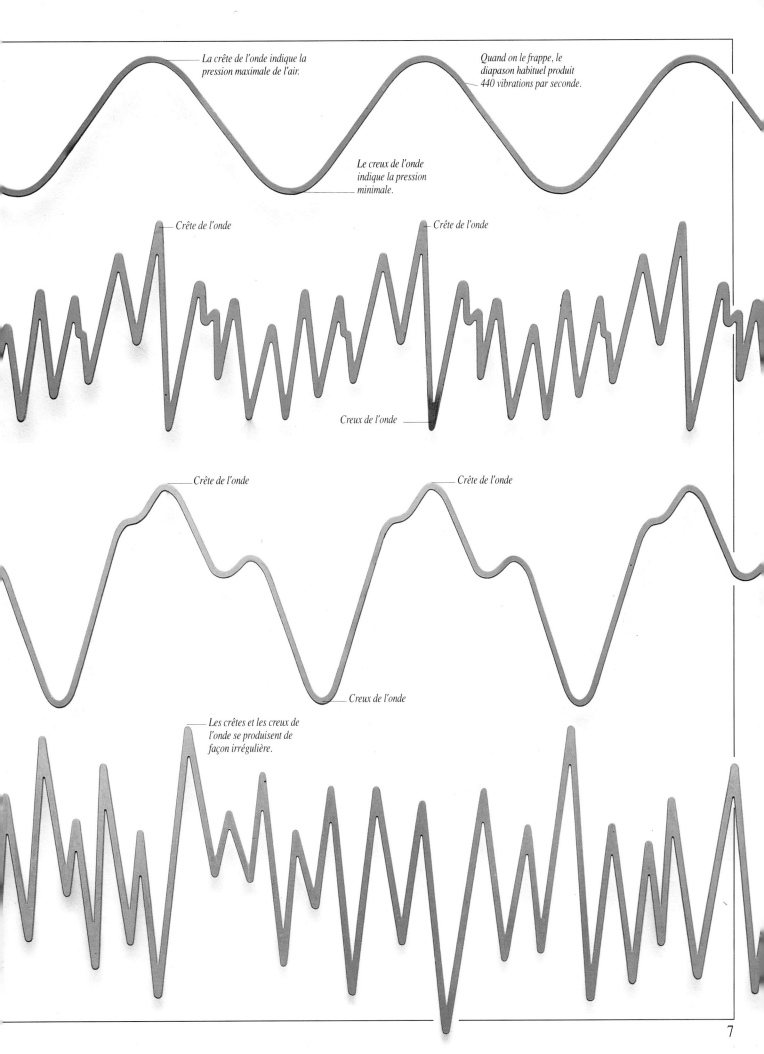

La crête de l'onde indique la pression maximale de l'air.

Quand on le frappe, le diapason habituel produit 440 vibrations par seconde.

Le creux de l'onde indique la pression minimale.

Crête de l'onde

Crête de l'onde

Creux de l'onde

Crête de l'onde

Crête de l'onde

Creux de l'onde

Les crêtes et les creux de l'onde se produisent de façon irrégulière.

QUAND LE SOUFFLE SONNE JUSTE

Le premier son qu'un débutant tire de son saxophone fait toujours penser au cri d'une vache en détresse. Et pourtant, lorsqu'ils sont bien maîtrisés, les instruments à vent offrent au musicien une prodigieuse richesse sonore. Les vents se composent de deux familles : les bois et les cuivres, comme leur nom ne l'indique plus, car certains instruments aujourd'hui métalliques étaient autrefois faits en bois, et inversement. Dans tous les cas, il s'agit de tubes creux, dont une extrémité comporte une embouchure. Le fait d'y appliquer ses lèvres d'une certaine façon et de souffler provoque la vibration de la colonne d'air contenue dans le tube sur une longueur limitée, par exemple, par l'ouverture d'un trou dans la paroi ; c'est le cas de la flûte. Plus la colonne vibrante est courte et plus la note est aiguë. Dans le cas des cuivres, le principe est différent : la colonne d'air se trouve raccourcie par division, en deux moitiés, en trois tiers, et ainsi de suite, à mesure que l'instrumentiste force son souffle dans l'embouchure. C'est pourquoi il faut tant de «coffre» pour produire de beaux aigus à la trompette.

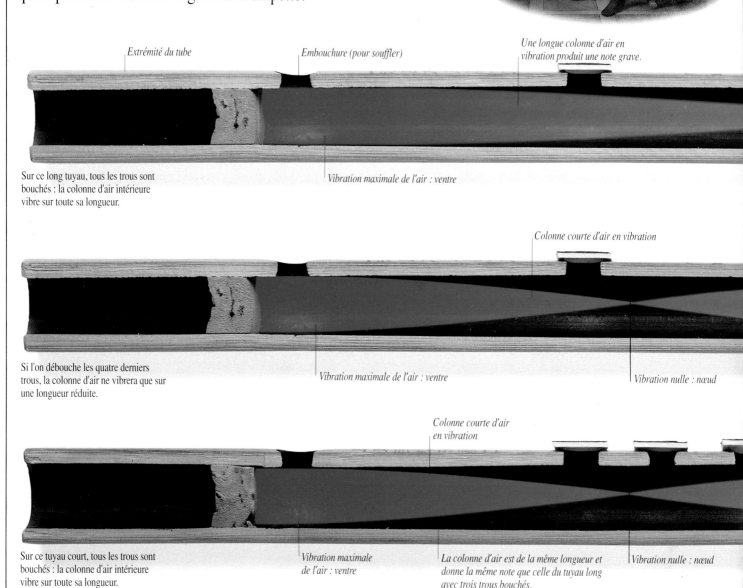

Extrémité du tube

Embouchure (pour souffler)

Une longue colonne d'air en vibration produit une note grave.

Sur ce long tuyau, tous les trous sont bouchés : la colonne d'air intérieure vibre sur toute sa longueur.

Vibration maximale de l'air : ventre

Colonne courte d'air en vibration

Si l'on débouche les quatre derniers trous, la colonne d'air ne vibrera que sur une longueur réduite.

Vibration maximale de l'air : ventre

Vibration nulle : nœud

Colonne courte d'air en vibration

Sur ce tuyau court, tous les trous sont bouchés : la colonne d'air intérieure vibre sur toute sa longueur.

Vibration maximale de l'air : ventre

La colonne d'air est de la même longueur et donne la même note que celle du tuyau long avec trois trous bouchés.

Vibration nulle : nœud

EMBOUCHURES DIVERSES

Les types d'embouchures qui permettent de jouer des bois et des cuivres sont très variés. Les flûtes à bec et les flûtes traversières ont un trou dans lequel, ou au travers duquel, souffle l'instrumentiste qui met ainsi en vibration la colonne d'air située à l'intérieur de l'instrument. Les autres bois ont des embouchures munies d'anches : quand on souffle, c'est l'anche qui se met à vibrer et qui fait vibrer la colonne d'air. Les cuivres ont tous une embouchure en métal sur laquelle l'instrumentiste applique ses lèvres. Quand il souffle, ses lèvres se mettent à vibrer comme une anche double.

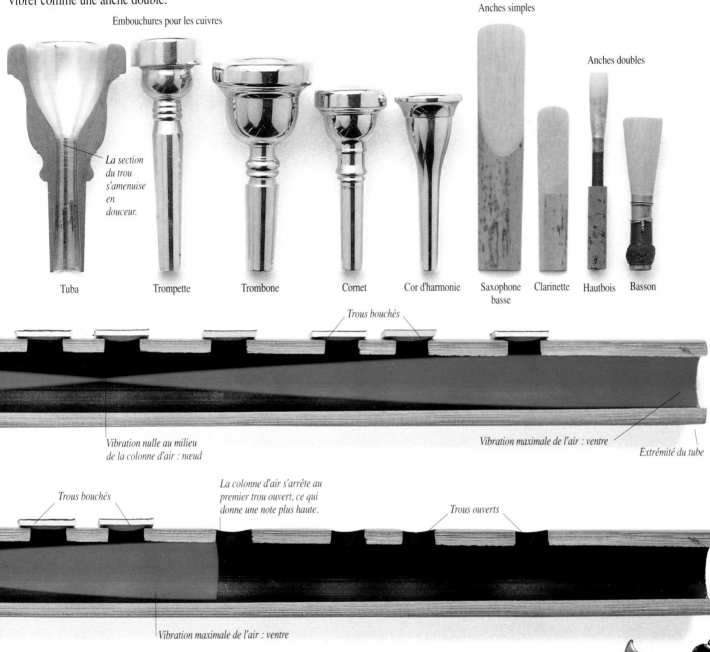

Embouchures pour les cuivres

Anches simples

Anches doubles

La section du trou s'amenuise en douceur.

Tuba — Trompette — Trombone — Cornet — Cor d'harmonie — Saxophone basse — Clarinette — Hautbois — Basson

Trous bouchés

Vibration nulle au milieu de la colonne d'air : nœud

Vibration maximale de l'air : ventre

Extrémité du tube

Trous bouchés

La colonne d'air s'arrête au premier trou ouvert, ce qui donne une note plus haute.

Trous ouverts

Vibration maximale de l'air : ventre

Trous bouchés

Vibration maximale de l'air : ventre

COLONNES D'AIR

Le fait de souffler dans l'embouchure met en vibration l'air situé dans les bois ou les cuivres. Les vibrations sont maximales à l'embouchure et à l'autre bout du tube. Elles s'amenuisent de plus en plus quand on se rapproche du milieu où elles sont nulles. Cet air en vibration fait également vibrer le corps de l'instrument qui transmet les ondes sonores à l'extérieur (pp. 6-7). La longueur de la colonne d'air – entre deux crêtes de vibration – donne la fréquence de la note émise. En raccourcissant la colonne d'air, on augmente la hauteur du son. Dans les bois, on y parvient en débouchant un certain nombre de trous percés dans le tube ou en utilisant un instrument plus court. Dans les cuivres, quand on presse les pistons, on allonge la colonne d'air, et on diminue la hauteur du son. Dans les cuivres et, à un moindre degré, dans les bois, on peut produire des notes plus aiguës simplement en soufflant plus fort : cela a pour effet de diviser la colonne d'air, et donc de réduire la distance entre les crêtes de vibration.

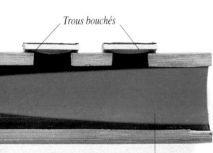

Les enfants, fascinés, suivent le joueur de fifre de Hamelin.

LE BOIS DONT ON FAIT LES FLÛTES

La douceur des flûtes, leur présence presque intime, en fait des instruments envoûtants. D'ailleurs, on leur a toujours prêté d'étranges pouvoirs, comme en témoignent *la Flûte enchantée* de Mozart ou la légende du joueur de flûte de Hamelin (Hameln, en Allemagne) : sa musique ensorcela les enfants de la ville qui disparurent à sa suite. Selon les cas, le flûtiste souffle en travers de l'ouverture du tuyau (flûte de Pan) ou tangentiellement à un trou pratiqué dans la paroi (flûte traversière). Cela suffit à faire vibrer la colonne d'air contenue dans le tuyau. Il en résulte un son charmant auquel contribue le léger chuintement de l'air qui s'échappe de l'embouchure. Les notes aiguës sont obtenues par un renforcement du souffle.

POISSON SIFFLEUR
Ce poisson en céramique ne ressemble guère à une flûte à bec. Pourtant, comme dans cette dernière, un court conduit permet à l'air d'attaquer le biseau situé sur le côté.

Encoche

FRÈRES JUMEAUX
Les flageolets, de forme conique, sont utilisés dans la musique populaire (le sifflet en fer-blanc en est un exemple). Cet instrument yougoslave délicatement sculpté est un flageolet double : on peut jouer de ses deux tuyaux séparément. Il date des années 1900, mais ce type d'instrument est connu depuis le XIIIe siècle.

Embouchures

Encoche

Trous pour les doigts

MUSIQUE PRIMITIVE
Faits avec des petits os de pied de renne, ces sifflets remontent à 40 000 av. J.-C. Trouvés en France, ils servaient sans doute plus à faire des signaux que de la musique.

FRUITS MUSICAUX
Ce sifflet soudanais est fabriqué à partir d'un morceau de calebasse. On en joue en soufflant dans une entaille faite dans la partie ouverte et en bouchant les trous avec les doigts.

Double série de trous pour les doigts

Un tuyau pour chaque main

Embouchure

Plaque d'embouchure

ANIMAUX PÉTRIFIÉS
Les grenouilles et l'aigle, joliment sculptés en stéatite, décorent de façon inhabituelle ce flageolet du XIXe siècle, œuvre des Indiens Haida (tribu des îles situées au large de l'ouest du Canada).

LA MUSIQUE DES DIEUX
Les flûtes de Pan tirent leur nom du mythe grec du dieu Pan. Quand la nymphe que Pan aimait fut changée en roseau, il coupa ce dernier en tuyaux de longueurs inégales qu'il assembla, et il jouait de cet instrument pour se consoler. De nos jours, on trouve surtout la flûte de Pan dans la musique sud-américaine.

RECETTE EXTRÊME-ORIENTALE
Sur cette *shakuhachi* japonaise, une encoche pratiquée dans l'embouchure favorise l'émission du son.

Bois minutieusement sculpté en forme de tête de dragon

FLÛTES TRAVERSIÈRES

On peut dénommer flûte tout tuyau muni d'un trou pour souffler dedans et d'autres trous que l'on peut boucher avec les doigts. On réserve le nom de flûte traversière aux instruments dont l'embouchure est située sur le côté : on souffle en travers de ce trou, en tenant la flûte horizontale.

UN SYSTÈME PRATIQUE
Cet instrument guyanais en bambou est peu courant ; en effet, on y souffle comme dans une flûte traversière, mais l'instrumentiste change de note en modifiant avec la main la forme de la grande ouverture située sur le côté.

Ouverture plus ou moins bouchée par la main pour changer la note jouée

Embouchure

Embouchure

Certaines flûtes peuvent être jouées indifféremment avec le nez ou avec la bouche.

BRUITS DE NEZ
Les flûtes nasales sont très répandues dans les régions du Pacifique. Cette flûte en bambou, magnifiquement décorée, provient des îles Fidji. Elle possède en son centre trois trous pour les doigts. L'instrumentiste souffle par une narine dans une extrémité, tandis qu'il bouche l'autre de sa main – ou même avec du tabac !

LE SYSTÈME BOEHM
Le facteur d'instruments allemand Theobald Boehm (1794-1881) a transformé la flûte, en inventant un système de clefs grâce auquel des tampons, actionnés par les clefs ou par les doigts, bouchent tous les trous. La sonorité est plus ronde, et le jeu facilité.

NOTES AIGUËS
Le piccolo est une petite flûte très aiguë, inventée vers la fin du XVIIIe siècle. Celui-ci date des années 1800 ; il est en bois et ne possède encore qu'une seule clef. De nos jours, le piccolo présente le même système de clefs que la flûte de concert et tous les flûtistes peuvent en jouer.

Trous de doigté

Clefs

Flûte ancienne en bois, vers 1830

Clefs de pouce

Clefs pour les petits doigts

Flûte de concert moderne

DE LA SIMPLICITÉ À LA SOPHISTICATION
La flûte traversière ancienne en bois présente un mécanisme courant en Angleterre, vers 1800. Il contraste avec le mécanisme complexe de cette flûte moderne en métal. L'esthétique sonore des deux instruments est complètement différente.

Tampons fermés par les doigts

Tampons fermés par des clefs

LA FLÛTE DRAGON
Le *lung ti*, ou flûte dragon, est une flûte traversière chinoise élégante et peu répandue, utilisée dans les cérémonies religieuses. Elle est en bambou laqué. Une mince feuille de papier couvre l'embouchure, ce qui donne un bourdonnement insistant, un peu comme un mirliton.

Décoration ouvragée en laque

DES ANCHES QUI VIBRENT

Pour transformer un roseau creux en instrument de musique, il suffit d'en couper un court morceau, d'y percer quelques trous, et de tailler en biais ou d'écraser l'extrémité que l'on pincera entre ses lèvres tout en soufflant. Même s'il fait plus de couacs que de jolies notes, cet instrument rudimentaire figure assez bien l'origine des vents dont le son résulte de la vibration d'une anche. L'anche d'une clarinette est une fine lamelle de roseau serrée sur la partie supérieure de l'embouchure. Celles du hautbois, du cor anglais ou du basson sont doubles et constituent l'embouchure proprement dite.

Sur ce détail d'un tableau du XVIIe siècle, on voit deux joueurs de chalemie, accompagnés par un trombone, (saqueboute) qui participent à une procession lors d'une fête en Espagne.

ANCHES SIMPLES

Le joueur de clarinette ou de saxophone (p. 14) dispose d'une embouchure contenant une ligature en métal qui maintient en place une anche simple. Avec sa bouche, l'instrumentiste peut modifier les vibrations de l'anche pour produire certains sons.

Dans la famille des clarinettes, la soprano est la plus souvent jouée. Celle-ci est faite en ébène d'Afrique.

La clarinette ne s'élargit qu'au pavillon.

Les clarinettes au son grave comme cette alto ont un pavillon recourbé.

Anche de clarinette

Embouchure

«Baril» cylindrique extensible pour permettre l'accord.

Corps supérieur avec clefs pour la main gauche

Position habituelle pour jouer de la clarinette

Clefs pour le petit doigt droit

Clefs pour le petit doigt gauche

Corps inférieur avec clefs pour la main droite

Clef pour le pouce gauche

Fixation du pupitre de lecture

PERÇANT MAIS DOUX

Les clarinettes se répandirent au cours du XVIIIe siècle, et les clefs peu maniables furent améliorées par Boehm (p. 11), au siècle suivant. Leur son, quelque peu perçant mais doux, est largement utilisé dans la musique orchestrale. Dans le jazz traditionnel et dans certaines musiques populaires, le clarinettiste joue de façon plus vivante, voire sauvage.

Anneau de liège pour l'étanchéité entre les segments

Anneau pour suspendre l'instrument au cou

Clefs pour l'index droit

Clef supplémentaire pour accroître la tessiture

Le pavillon métallique projette le son vers l'avant.

Appui de la main droite

Clefs pour le pouce droit (les trous pour les doigts sont de l'autre côté)

Capuchon métallique recouvrant le coude du tube en bois

Le pavillon en forme de bulbe donne au cor anglais un son doux et velouté.

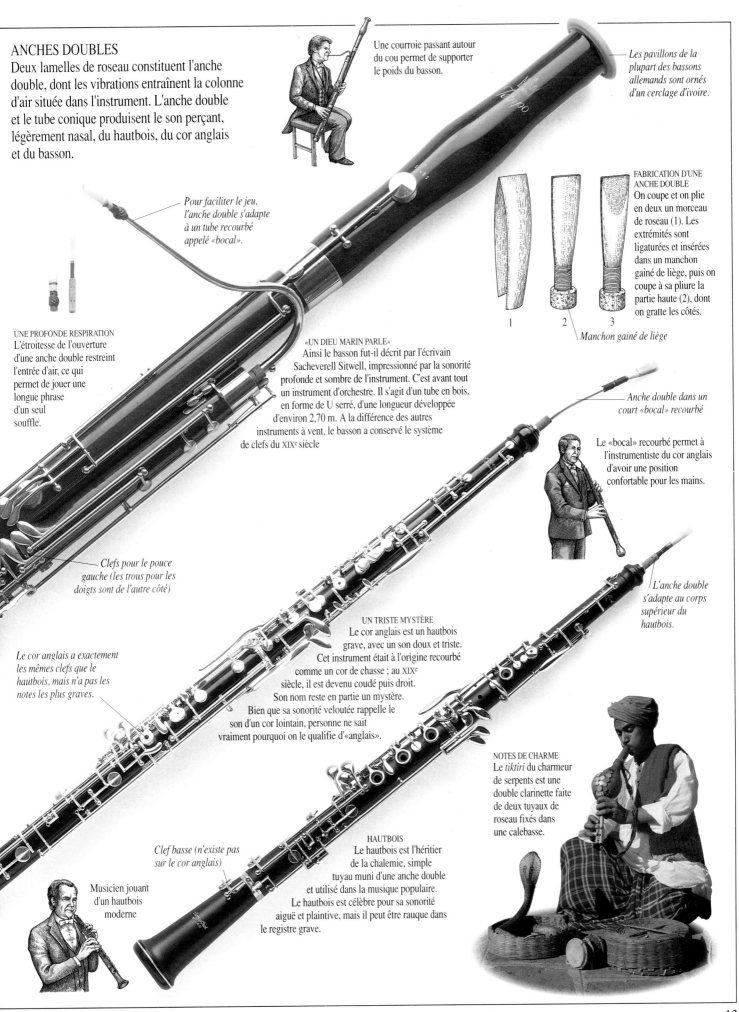

ANCHES DOUBLES

Deux lamelles de roseau constituent l'anche double, dont les vibrations entraînent la colonne d'air située dans l'instrument. L'anche double et le tube conique produisent le son perçant, légèrement nasal, du hautbois, du cor anglais et du basson.

Une courroie passant autour du cou permet de supporter le poids du basson.

Les pavillons de la plupart des bassons allemands sont ornés d'un cerclage d'ivoire.

Pour faciliter le jeu, l'anche double s'adapte à un tube recourbé appelé «bocal».

FABRICATION D'UNE ANCHE DOUBLE
On coupe et on plie en deux un morceau de roseau (1). Les extrémités sont ligaturées et insérées dans un manchon gainé de liège, puis on coupe à sa pliure la partie haute (2), dont on gratte les côtés.

1   2   3

Manchon gainé de liège

UNE PROFONDE RESPIRATION
L'étroitesse de l'ouverture d'une anche double restreint l'entrée d'air, ce qui permet de jouer une longue phrase d'un seul souffle.

«UN DIEU MARIN PARLE»
Ainsi le basson fut-il décrit par l'écrivain Sacheverell Sitwell, impressionné par la sonorité profonde et sombre de l'instrument. C'est avant tout un instrument d'orchestre. Il s'agit d'un tube en bois, en forme de U serré, d'une longueur développée d'environ 2,70 m. A la différence des autres instruments à vent, le basson a conservé le système de clefs du XIXᵉ siècle

Anche double dans un court «bocal» recourbé

Le «bocal» recourbé permet à l'instrumentiste du cor anglais d'avoir une position confortable pour les mains.

Clefs pour le pouce gauche (les trous pour les doigts sont de l'autre côté)

Le cor anglais a exactement les mêmes clefs que le hautbois, mais n'a pas les notes les plus graves.

UN TRISTE MYSTÈRE
Le cor anglais est un hautbois grave, avec un son doux et triste. Cet instrument était à l'origine recourbé comme un cor de chasse ; au XIXᵉ siècle, il est devenu coudé puis droit. Son nom reste en partie un mystère. Bien que sa sonorité veloutée rappelle le son d'un cor lointain, personne ne sait vraiment pourquoi on le qualifie d'«anglais».

L'anche double s'adapte au corps supérieur du hautbois.

NOTES DE CHARME
Le *tiktiri* du charmeur de serpents est une double clarinette faite de deux tuyaux de roseau fixés dans une calebasse.

Clef basse (n'existe pas sur le cor anglais)

Musicien jouant d'un hautbois moderne

HAUTBOIS
Le hautbois est l'héritier de la chalemie, simple tuyau muni d'une anche double et utilisé dans la musique populaire. Le hautbois est célèbre pour sa sonorité aiguë et plaintive, mais il peut être rauque dans le registre grave.

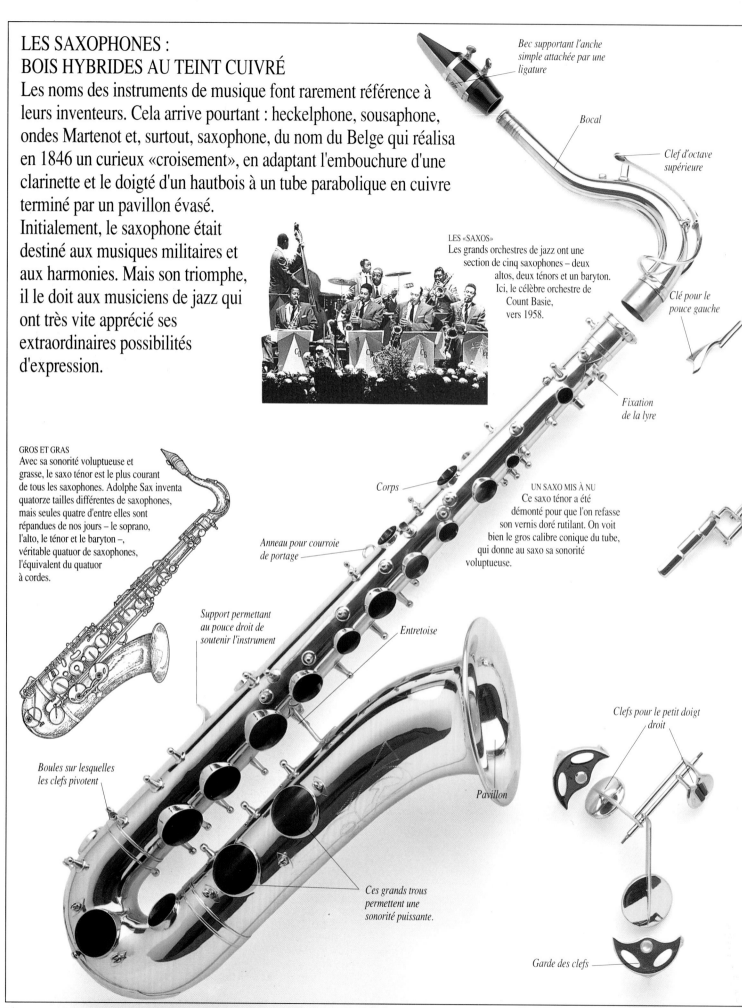

LES SAXOPHONES :
BOIS HYBRIDES AU TEINT CUIVRÉ

Les noms des instruments de musique font rarement référence à leurs inventeurs. Cela arrive pourtant : heckelphone, sousaphone, ondes Martenot et, surtout, saxophone, du nom du Belge qui réalisa en 1846 un curieux «croisement», en adaptant l'embouchure d'une clarinette et le doigté d'un hautbois à un tube parabolique en cuivre terminé par un pavillon évasé. Initialement, le saxophone était destiné aux musiques militaires et aux harmonies. Mais son triomphe, il le doit aux musiciens de jazz qui ont très vite apprécié ses extraordinaires possibilités d'expression.

Bec supportant l'anche simple attachée par une ligature

Bocal

Clef d'octave supérieure

LES «SAXOS»
Les grands orchestres de jazz ont une section de cinq saxophones – deux altos, deux ténors et un baryton. Ici, le célèbre orchestre de Count Basie, vers 1958.

Clé pour le pouce gauche

Fixation de la lyre

GROS ET GRAS
Avec sa sonorité voluptueuse et grasse, le saxo ténor est le plus courant de tous les saxophones. Adolphe Sax inventa quatorze tailles différentes de saxophones, mais seules quatre d'entre elles sont répandues de nos jours – le soprano, l'alto, le ténor et le baryton –, véritable quatuor de saxophones, l'équivalent du quatuor à cordes.

Corps

UN SAXO MIS À NU
Ce saxo ténor a été démonté pour que l'on refasse son vernis doré rutilant. On voit bien le gros calibre conique du tube, qui donne au saxo sa sonorité voluptueuse.

Anneau pour courroie de portage

Support permettant au pouce droit de soutenir l'instrument

Entretoise

Boules sur lesquelles les clefs pivotent

Clefs pour le petit doigt droit

Pavillon

Ces grands trous permettent une sonorité puissante.

Garde des clefs

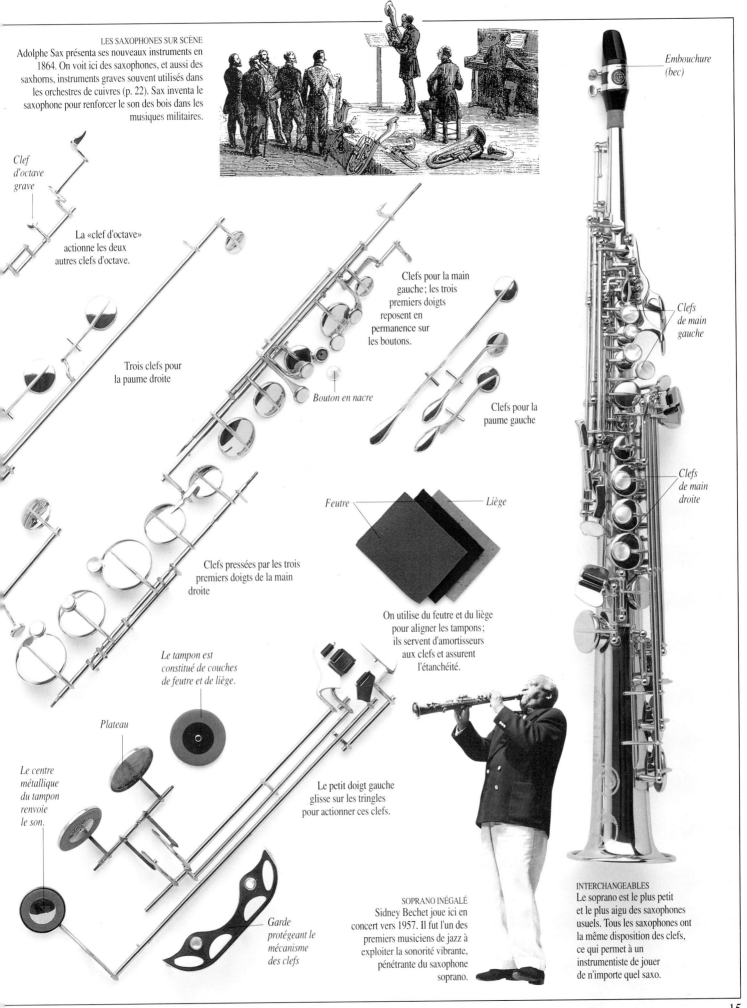

Adolphe Sax présenta ses nouveaux instruments en 1864. On voit ici des saxophones, et aussi des saxhorns, instruments graves souvent utilisés dans les orchestres de cuivres (p. 22). Sax inventa le saxophone pour renforcer le son des bois dans les musiques militaires.

Clef d'octave grave

La «clef d'octave» actionne les deux autres clefs d'octave.

Trois clefs pour la paume droite

Clefs pour la main gauche ; les trois premiers doigts reposent en permanence sur les boutons.

Bouton en nacre

Clefs pour la paume gauche

Clefs pressées par les trois premiers doigts de la main droite

Feutre

Liège

On utilise du feutre et du liège pour aligner les tampons ; ils servent d'amortisseurs aux clefs et assurent l'étanchéité.

Le tampon est constitué de couches de feutre et de liège.

Plateau

Le centre métallique du tampon renvoie le son.

Le petit doigt gauche glisse sur les tringles pour actionner ces clefs.

Garde protégeant le mécanisme des clefs

Embouchure (bec)

Clefs de main gauche

Clefs de main droite

SOPRANO INÉGALÉ
Sidney Bechet joue ici en concert vers 1957. Il fut l'un des premiers musiciens de jazz à exploiter la sonorité vibrante, pénétrante du saxophone soprano.

INTERCHANGEABLES
Le soprano est le plus petit et le plus aigu des saxophones usuels. Tous les saxophones ont la même disposition des clefs, ce qui permet à un instrumentiste de jouer de n'importe quel saxo.

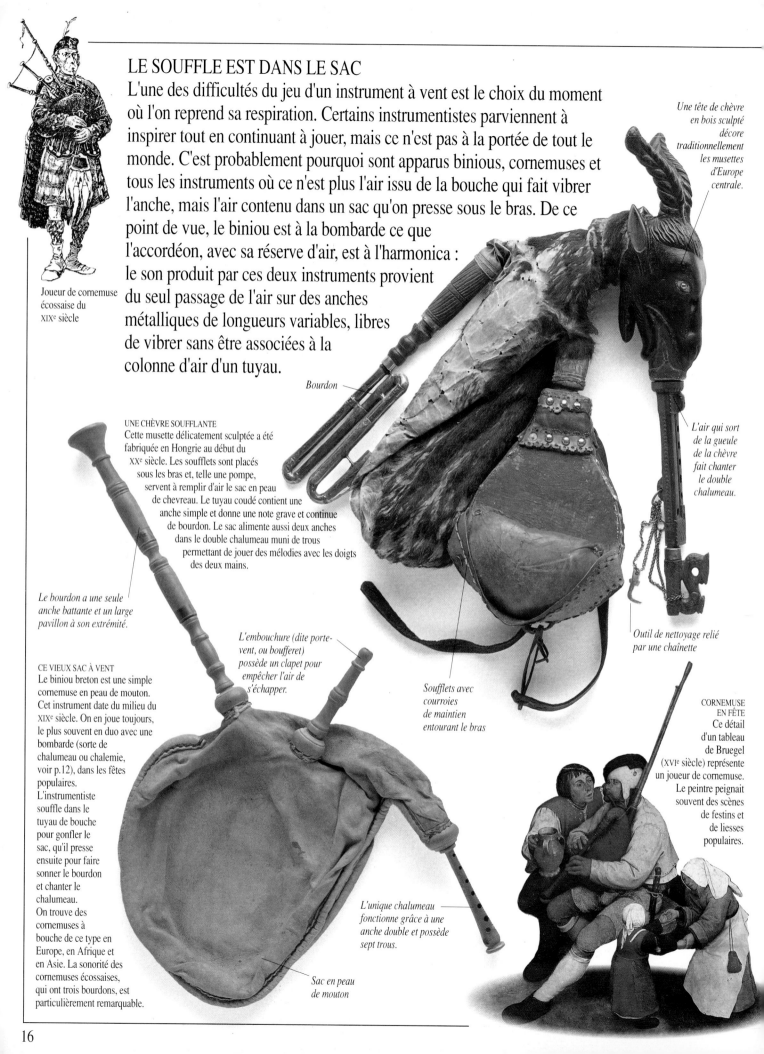

LE SOUFFLE EST DANS LE SAC

L'une des difficultés du jeu d'un instrument à vent est le choix du moment où l'on reprend sa respiration. Certains instrumentistes parviennent à inspirer tout en continuant à jouer, mais ce n'est pas à la portée de tout le monde. C'est probablement pourquoi sont apparus binious, cornemuses et tous les instruments où ce n'est plus l'air issu de la bouche qui fait vibrer l'anche, mais l'air contenu dans un sac qu'on presse sous le bras. De ce point de vue, le biniou est à la bombarde ce que l'accordéon, avec sa réserve d'air, est à l'harmonica : le son produit par ces deux instruments provient du seul passage de l'air sur des anches métalliques de longueurs variables, libres de vibrer sans être associées à la colonne d'air d'un tuyau.

Joueur de cornemuse écossaise du XIXᵉ siècle

Une tête de chèvre en bois sculpté décore traditionnellement les musettes d'Europe centrale.

Bourdon

L'air qui sort de la gueule de la chèvre fait chanter le double chalumeau.

UNE CHÈVRE SOUFFLANTE
Cette musette délicatement sculptée a été fabriquée en Hongrie au début du XXᵉ siècle. Les soufflets sont placés sous les bras et, telle une pompe, servent à remplir d'air le sac en peau de chevreau. Le tuyau coudé contient une anche simple et donne une note grave et continue de bourdon. Le sac alimente aussi deux anches dans le double chalumeau muni de trous permettant de jouer des mélodies avec les doigts des deux mains.

Le bourdon a une seule anche battante et un large pavillon à son extrémité.

L'embouchure (dite porte-vent, ou boufferet) possède un clapet pour empêcher l'air de s'échapper.

Outil de nettoyage relié par une chaînette

Soufflets avec courroies de maintien entourant le bras

CE VIEUX SAC À VENT
Le biniou breton est une simple cornemuse en peau de mouton. Cet instrument date du milieu du XIXᵉ siècle. On en joue toujours, le plus souvent en duo avec une bombarde (sorte de chalumeau ou chalemie, voir p.12), dans les fêtes populaires. L'instrumentiste souffle dans le tuyau de bouche pour gonfler le sac, qu'il presse ensuite pour faire sonner le bourdon et chanter le chalumeau. On trouve des cornemuses à bouche de ce type en Europe, en Afrique et en Asie. La sonorité des cornemuses écossaises, qui ont trois bourdons, est particulièrement remarquable.

CORNEMUSE EN FÊTE
Ce détail d'un tableau de Bruegel (XVIᵉ siècle) représente un joueur de cornemuse. Le peintre peignait souvent des scènes de festins et de liesses populaires.

L'unique chalumeau fonctionne grâce à une anche double et possède sept trous.

Sac en peau de mouton

En poussant la tirette, on peut jouer les notes supplémentaires de la rangée inférieure.

ASPIREZ-SOUFFLEZ
L'harmonica possède deux rangées d'anches libres que l'on actionne en soufflant ou en aspirant dans l'instrument. Dérivé des orgues à bouche d'Asie, l'harmonica ne date que du siècle dernier.

Quatre des dix-sept tuyaux sont factices : ils servent seulement à équilibrer le *sheng*.

Trous pour les doigts

Réservoir d'air

Embouchure

Attache pour maintenir les tuyaux ensemble

UN DESCENDANT DU PHÉNIX
Le *sheng*, représenté monté (à l'extrême gauche) et démonté (à gauche et ci-dessous), est un orgue à bouche dont l'origine chinoise remonte à 3 000 ans. On dit que sa forme élégante ressemble à celle du phénix, un oiseau légendaire. Pour jouer du sheng, on souffle ou on aspire dans le réservoir d'air tout en ouvrant ou en obturant les trous des divers tuyaux avec les doigts. Quand on ouvre les trous, on fait pénétrer de l'air vers les anches libres situées à la base des tuyaux de bambou. Les anches sont des languettes de laiton qu'on leste de cire pour pouvoir les accorder.

Virtuose chinois jouant d'un orgue à bouche complexe

Réservoir d'air laqué avec trous pour insérer les tuyaux

Languettes de laiton

Les touches sont en ivoire et en plastique bleu.

Les soufflets soufflent et aspirent l'air qui actionne les anches.

Musicien ambulant du XIXᵉ siècle, avec son accordéon et son singe

Le son poussif des anches sort par la grille.

Cent vingt boutons commandent notes et accords.

OUVREZ-FERMEZ
Des soufflets ornés de fleurs, une grille nickelée et des touches en plastique bleu contribuent à la splendeur de cet accordéon italien. En appuyant sur les touches et les boutons, on laisse passer l'air provenant des soufflets sur les anches métalliques correspondantes qui entrent en vibration. L'instrument est soutenu par des courroies, ce qui laisse les mains libres pour actionner les soufflets et jouer sur les touches et les boutons.

UN GRAND ORGUE,
DES GRANDES ORGUES

Les milliers de tuyaux d'un orgue peuvent donner la plus grande étendue de sons, du grave à l'aigu, et une puissance à ébranler les murs d'une cathédrale. Pourtant, à l'origine du plus riche et du plus complexe des instruments de musique se trouve l'humble flûte de Pan (p. 10). Sur l'orgue, chaque touche enfoncée libère l'air d'une soufflerie vers un ou plusieurs tuyaux qui sonnent parfois comme un véritable orchestre (pp. 8-9).

ORGUE TRANSPORTABLE
Les orgues portatifs, en usage au Moyen Age, étaient joués par une seule personne. Une main actionnait les soufflets pour alimenter en air un ensemble de tuyaux à bouche, l'autre jouait sur les touches.

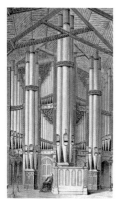

TUYAUX GÉANTS
Sur un grand orgue, les notes les plus graves peuvent provenir de tuyaux longs de presque 10 m.

50 p. 100 de plomb
50 p. 100 d'étain

70 p. 100 de plomb
30 p. 100 d'étain

MÉLANGES DE MÉTAUX
On utilise souvent des alliages de plomb et d'étain pour les tuyaux d'orgue. L'étain exalte le son, tandis que le plomb l'assourdit.

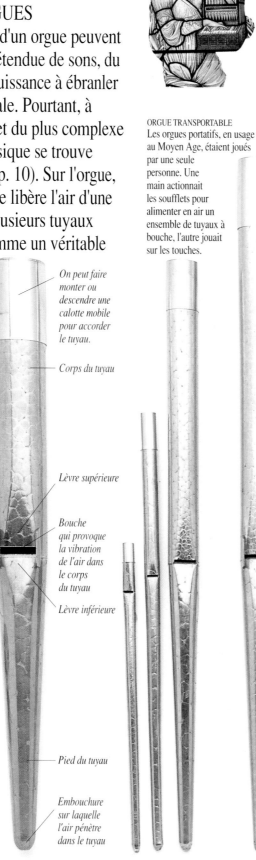

On peut faire monter ou descendre une calotte mobile pour accorder le tuyau.

Corps du tuyau

Lèvre supérieure

Bouche qui provoque la vibration de l'air dans le corps du tuyau

Lèvre inférieure

Pied du tuyau

Embouchure sur laquelle l'air pénètre dans le tuyau

Tuyau à bouche

LE SON DES VIOLONS
Les tuyaux à bouche sonnent de la même façon qu'un sifflet (p. 10). Ces tuyaux étroits ont une sonorité proche des instruments à cordes.

TUYAUX DE PRINCIPAL
Des «oreilles», petites plaques de métal placées de chaque côté de la «bouche» des tuyaux à bouche, stabilisent les sons produits par ces tuyaux.

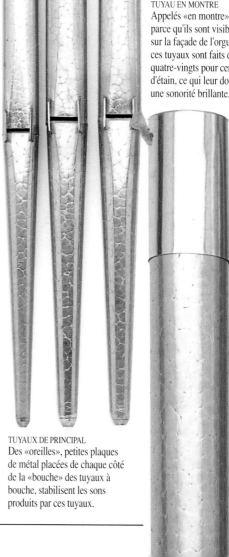

Tuyau de montre en laiton

TUYAU EN MONTRE
Appelés «en montre» parce qu'ils sont visibles sur la façade de l'orgue, ces tuyaux sont faits de quatre-vingts pour cent d'étain, ce qui leur donne une sonorité brillante.

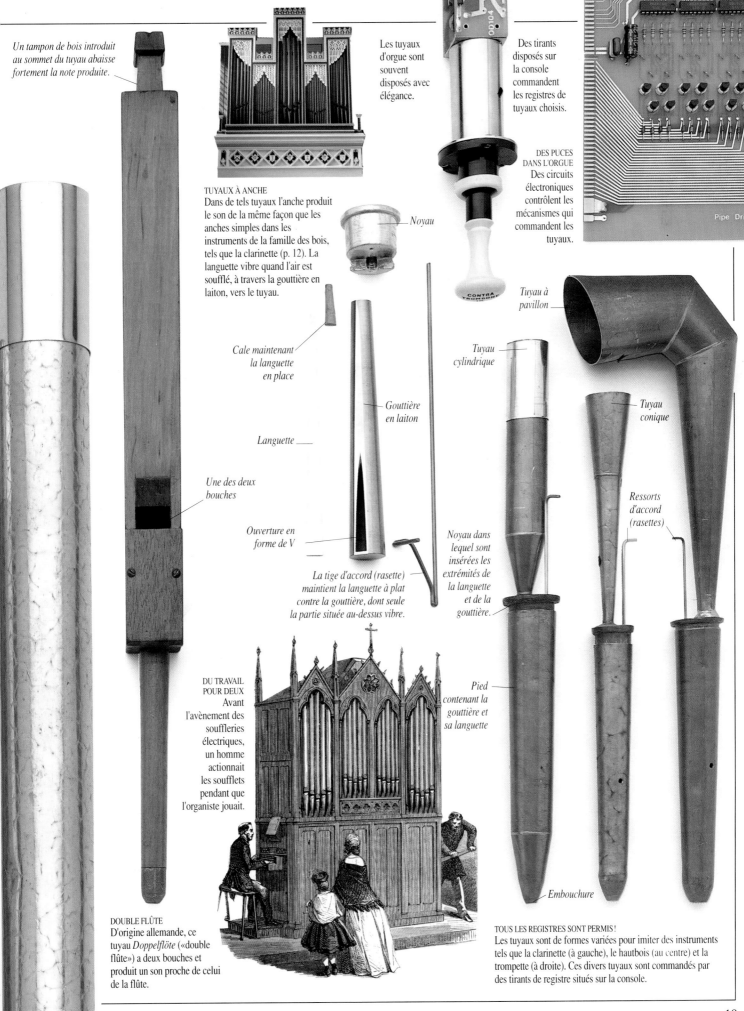

Un tampon de bois introduit au sommet du tuyau abaisse fortement la note produite.

Les tuyaux d'orgue sont souvent disposés avec élégance.

Des tirants disposés sur la console commandent les registres de tuyaux choisis.

DES PUCES DANS L'ORGUE
Des circuits électroniques contrôlent les mécanismes qui commandent les tuyaux.

Pipe Driver

TUYAUX À ANCHE
Dans de tels tuyaux l'anche produit le son de la même façon que les anches simples dans les instruments de la famille des bois, tels que la clarinette (p. 12). La languette vibre quand l'air est soufflé, à travers la gouttière en laiton, vers le tuyau.

Noyau

Tuyau à pavillon

Tuyau cylindrique

Tuyau conique

Cale maintenant la languette en place

Gouttière en laiton

Languette

Une des deux bouches

Ouverture en forme de V

La tige d'accord (rasette) maintient la languette à plat contre la gouttière, dont seule la partie située au-dessus vibre.

Noyau dans lequel sont insérées les extrémités de la languette et de la gouttière.

Ressorts d'accord (rasettes)

Pied contenant la gouttière et sa languette

DU TRAVAIL POUR DEUX
Avant l'avènement des souffleries électriques, un homme actionnait les soufflets pendant que l'organiste jouait.

Embouchure

DOUBLE FLÛTE
D'origine allemande, ce tuyau *Doppelflöte* («double flûte») a deux bouches et produit un son proche de celui de la flûte.

TOUS LES REGISTRES SONT PERMIS !
Les tuyaux sont de formes variées pour imiter des instruments tels que la clarinette (à gauche), le hautbois (au centre) et la trompette (à droite). Ces divers tuyaux sont commandés par des tirants de registre situés sur la console.

LES CUIVRES NE SONT PAS TOUS EN CUIVRE

Comme leur nom français ne l'indique pas tout à fait, les principaux «cuivres» de l'orchestre – trompette, trombone, cor et tuba – sont presque toujours en laiton, un alliage de cuivre et d'étain, verni ou argenté pour la facilité de l'entretien. Par la façon dont ils produisent du son, les cuivres s'apparentent aux instruments plus anciens fabriqués à partir de coquillages, de branches creuses ou de cornes d'animaux. En réalité, on pourrait «affilier» aux cuivres tout instrument à vent dont la colonne d'air vibre consécutivement au passage de l'air par un orifice étroit auquel sont appliquées les lèvres de l'instrumentiste. Autrement dit, l'embouchure des cuivres ne comporte pas de partie mobile.

Le cornu, cor romain en bronze

Musiciens allemands en 1520 : ceux de gauche jouent d'une chalemie (p.12) et celui de droite, de la trompette.

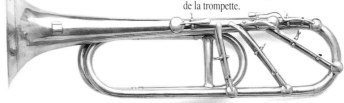

CE N'EST PAS LA CLEF DU SUCCÈS
Haydn composa en 1796 son célèbre concerto pour trompette en Mi bémol pour un nouvel instrument doté de clefs autorisant l'émission de notes supplémentaires. Pourtant, cette nouvelle trompette disparut rapidement, car on jugeait que sa sonorité était celle d'un «hautbois fou».

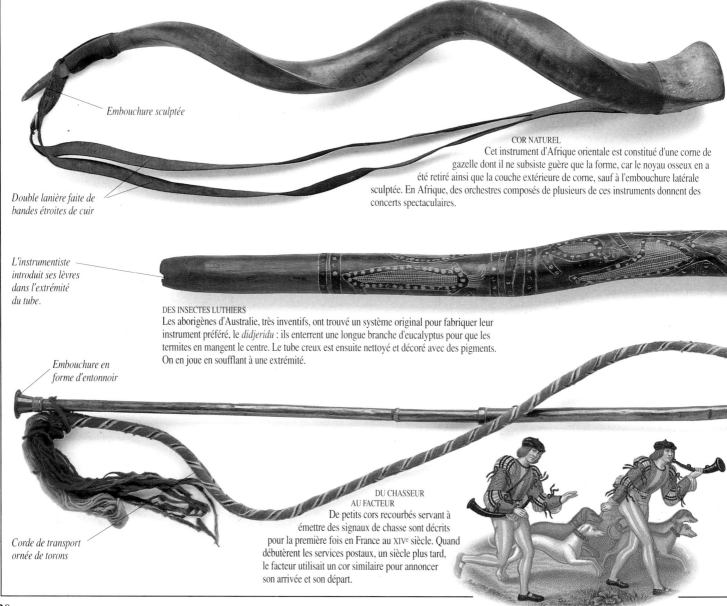

Embouchure sculptée

Double lanière faite de bandes étroites de cuir

COR NATUREL
Cet instrument d'Afrique orientale est constitué d'une corne de gazelle dont il ne subsiste guère que la forme, car le noyau osseux en a été retiré ainsi que la couche extérieure de corne, sauf à l'embouchure latérale sculptée. En Afrique, des orchestres composés de plusieurs de ces instruments donnent des concerts spectaculaires.

L'instrumentiste introduit ses lèvres dans l'extrémité du tube.

DES INSECTES LUTHIERS
Les aborigènes d'Australie, très inventifs, ont trouvé un système original pour fabriquer leur instrument préféré, le *didjeridu* : ils enterrent une longue branche d'eucalyptus pour que les termites en mangent le centre. Le tube creux est ensuite nettoyé et décoré avec des pigments. On en joue en soufflant à une extrémité.

Embouchure en forme d'entonnoir

Corde de transport ornée de torons

DU CHASSEUR AU FACTEUR
De petits cors recourbés servant à émettre des signaux de chasse sont décrits pour la première fois en France au XIVe siècle. Quand débutèrent les services postaux, un siècle plus tard, le facteur utilisait un cor similaire pour annoncer son arrivée et son départ.

*Ton de rechange
amovible permettant
d'allonger le tube, ce qui
abaisse toutes les notes
disponibles*

*Embouchure
en bassin*

IMITATION DE REPTILE
On comprend, en voyant la forme de cet instrument insolite, inventé
en France vers 1590, qu'on l'ait appelé serpent. A la croisée des
cuivres et des bois, il possède six trous pour les doigts.

*Trous pour la main
gauche*

*Si l'on place la
main dans le
pavillon évasé,
on élève la
note jouée.*

*Trous pour
la main droite*

DES TOURS SUPPLÉMENTAIRES
Au cours du XVIIe siècle, les fabricants
allongèrent progressivement le cor et lui
donnèrent une forme circulaire pour en
faciliter le jeu. Mais le cor ne pouvait
produire qu'un nombre limité de notes,
jusqu'à ce qu'un siècle plus tard on
invente les sections de tube
amovibles. Ces «tons de rechange»
permettaient d'allonger le tube et
de produire des séries de notes
différentes. Cet instrument typique,
datant de 1780, a deux tons de
rechange.

*Cor italien, fabriqué vers
1720*

*Deux façons de jouer du
serpent*

*Revêtement de cuir peint
imitant la peau de serpent*

*Animal ressemblant à un
lézard sculpté dans le bois*

Pavillon effilé

MESSAGE RELIGIEUX
Heureusement pour l'instrumentiste, cette trompette marocaine en cuivre, longue de 1,50 m,
peut se démonter en plusieurs parties. On l'appelle *nafir*, et on l'utilise pour signaler la fin
de la fête musulmane du Ramadan par de longs coups de trompe. Les trompettes de ce type
remontent aux Romains, qui les ont peut-être introduites en Afrique du Nord.

**LA MUSIQUE
DES MONTAGNES**
Le son du cor des Alpes a souvent retenti dans
les Alpes suisses. Ce long instrument en bois
était joué traditionnellement par les bergers mais,
de nos jours, il reste surtout une attraction
touristique.

LES CUIVRES BRILLENT AUSSI PAR LEUR SON

Les cuivres à tubulure complexe, trompettes et trombones en rangs serrés, produisent des impressions sonores d'une extraordinaire intensité lorsqu'ils sont joués à pleine puissance. Les efforts des instrumentistes n'expliquent pas tout, quoique tonitruance et rouge aux joues aillent souvent de pair dans les fanfares. L'éclat des sonorités vient du faible diamètre du tube, de sa perce, de la forme du pavillon, large et évasé. Mais les cuivres ont d'autres atouts : sonorités suaves, lorsque le souffle est retenu ; sourdines associées à une idée de mystère, voire de menace. Les musiciens de jazz exploitent merveilleusement ces atmosphères et laissent leur personnalité s'exprimer dans des solos enthousiasmants.

FANFARE HÉRALDIQUE
Le héraut représenté sur cette estampe allemande (vers 1500) joue d'une des premières trompettes, qui n'avaient pas encore de pistons à cette époque.

Embouchure en bassin

Pistons

Le diamètre augmente après les pistons.

CHEF D'ORCHESTRE
Les sonorités onctueuses d'un ensemble de cuivres sont couronnées par le cornet, qui conduit l'orchestre et joue les passages en solo. Le cornet est en quelque sorte un cor de poste (p. 20), auquel on a adapté des pistons. On en joue comme de la trompette et il produit les mêmes notes qu'elle. Mais sa perce (diamètre du tube) augmente plus vite avant le pavillon et lui donne une sonorité plus grasse que celle de la trompette. Le cornet n'a pas le prestige de la trompette, mais il est plus facile d'en jouer.

UNE FORMATION TRADITIONNELLE
Les orchestres de jazz traditionnel, tel celui de Humphrey Lyttleton, représenté ici, comportent une trompette et un trombone. Les musiciens de ces formations recherchent une sonorité originale rugueuse, presque rocailleuse.

À L'ÉPAULE
Les nombreuses spires de ce cuivre du XIXe siècle permettent à l'instrumentiste de transporter ce lourd instrument sur son épaule.

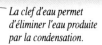

La clef d'eau permet d'éliminer l'eau produite par la condensation.

Tube extérieur de la coulisse

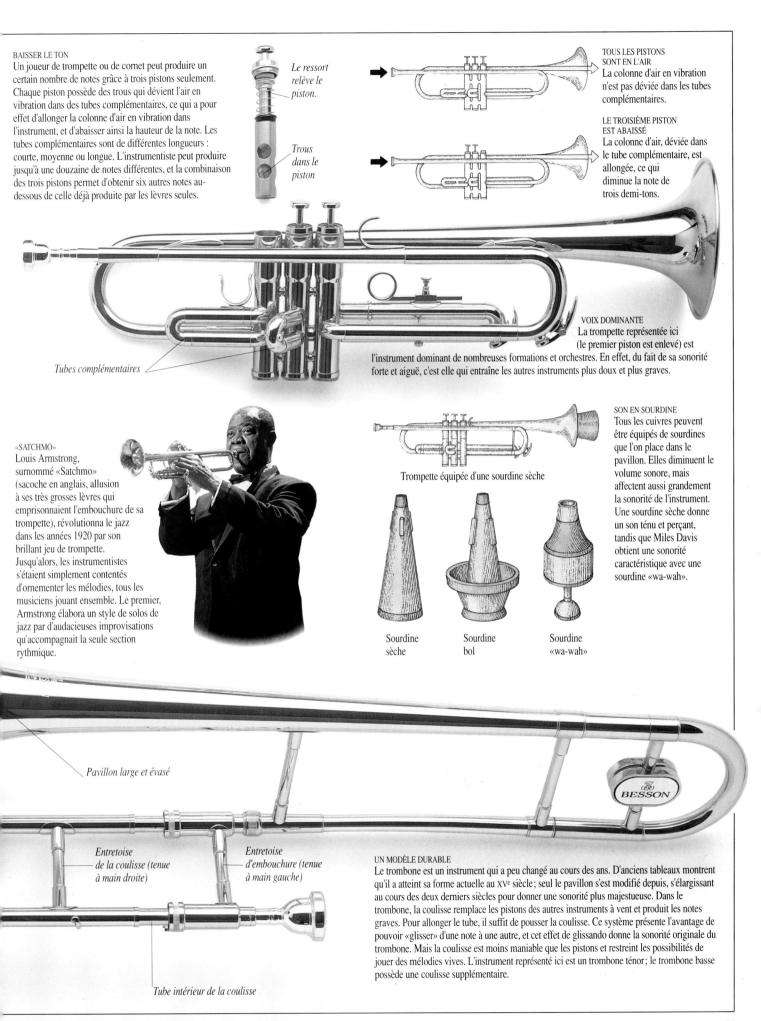

BAISSER LE TON

Un joueur de trompette ou de cornet peut produire un certain nombre de notes grâce à trois pistons seulement. Chaque piston possède des trous qui dévient l'air en vibration dans des tubes complémentaires, ce qui a pour effet d'allonger la colonne d'air en vibration dans l'instrument, et d'abaisser ainsi la hauteur de la note. Les tubes complémentaires sont de différentes longueurs : courte, moyenne ou longue. L'instrumentiste peut produire jusqu'à une douzaine de notes différentes, et la combinaison des trois pistons permet d'obtenir six autres notes au-dessous de celle déjà produite par les lèvres seules.

Le ressort relève le piston.

Trous dans le piston

TOUS LES PISTONS SONT EN L'AIR
La colonne d'air en vibration n'est pas déviée dans les tubes complémentaires.

LE TROISIÈME PISTON EST ABAISSÉ
La colonne d'air, déviée dans le tube complémentaire, est allongée, ce qui diminue la note de trois demi-tons.

Tubes complémentaires

VOIX DOMINANTE
La trompette représentée ici (le premier piston est enlevé) est l'instrument dominant de nombreuses formations et orchestres. En effet, du fait de sa sonorité forte et aiguë, c'est elle qui entraîne les autres instruments plus doux et plus graves.

«SATCHMO»
Louis Armstrong, surnommé «Satchmo» (sacoche en anglais, allusion à ses très grosses lèvres qui emprisonnaient l'embouchure de sa trompette), révolutionna le jazz dans les années 1920 par son brillant jeu de trompette. Jusqu'alors, les instrumentistes s'étaient simplement contentés d'ornementer les mélodies, tous les musiciens jouant ensemble. Le premier, Armstrong élabora un style de solos de jazz par d'audacieuses improvisations qu'accompagnait la seule section rythmique.

Trompette équipée d'une sourdine sèche

SON EN SOURDINE
Tous les cuivres peuvent être équipés de sourdines que l'on place dans le pavillon. Elles diminuent le volume sonore, mais affectent aussi grandement la sonorité de l'instrument. Une sourdine sèche donne un son ténu et perçant, tandis que Miles Davis obtient une sonorité caractéristique avec une sourdine «wa-wah».

Sourdine sèche

Sourdine bol

Sourdine «wa-wah»

Pavillon large et évasé

BESSON

Entretoise de la coulisse (tenue à main droite)

Entretoise d'embouchure (tenue à main gauche)

Tube intérieur de la coulisse

UN MODÈLE DURABLE
Le trombone est un instrument qui a peu changé au cours des ans. D'anciens tableaux montrent qu'il a atteint sa forme actuelle au XVe siècle ; seul le pavillon s'est modifié depuis, s'élargissant au cours des deux derniers siècles pour donner une sonorité plus majestueuse. Dans le trombone, la coulisse remplace les pistons des autres instruments à vent et produit les notes graves. Pour allonger le tube, il suffit de pousser la coulisse. Ce système présente l'avantage de pouvoir «glisser» d'une note à une autre, et cet effet de glissando donne la sonorité originale du trombone. Mais la coulisse est moins maniable que les pistons et restreint les possibilités de jouer des mélodies vives. L'instrument représenté ici est un trombone ténor ; le trombone basse possède une coulisse supplémentaire.

23

DES LÈVRES MUSCLÉES ET UN SACRÉ COFFRE

La corne creuse est à l'origine des cors. La sonorité de ces instruments n'a pas le caractère incisif de la trompette et du trombone (pp. 22-23), dont les tubes sont plus courts. Les cors et le tuba arrondissent et donnent une plus grande plénitude à la section des cuivres dans un orchestre symphonique, y ajoutant chaleur et profondeur. Ce sont des instruments «physiques» ; ils exigent des lèvres indestructibles et des poumons puissants : le cor, dès qu'il aborde des notes aiguës, et le tuba, parce qu'il suppose la mise en vibration d'un volume d'air considérable. Et pourtant, ces instruments sont capables des nuances les plus expressives.

Pistons rotatifs actionnés par les doigts de la main gauche

Large pavillon évasé soutenu par la main droite

La large perce conique donne un son onctueux.

COR DOUBLE
Le cor utilisé dans les orchestres, souvent appelé cor d'harmonie, est d'origine allemande. C'est un cor double, ou plus exactement deux cors en un. Le pouce gauche agit sur un piston (p. 23) qui permet de choisir entre deux longueurs de tube enroulé. L'une donne des notes profondes et chaudes, l'autre des notes brillantes et aiguës. Développé, cet instrument atteindrait 9 m de long !

La main droite s'insère dans le pavillon pour modifier certaines notes.

FILS DU CLAIRON
Ce cor «ténor» est un descendant du clairon qui appelait les soldats à leurs divers devoirs. Au XIXᵉ siècle, des pistons furent ajoutés au clairon, notamment par Adolphe Sax, plus connu comme l'inventeur du saxophone (pp. 14-15). Il en résulta toute une famille de cors, généralement dénommés saxhorns.

Embouchure en bassin

Piston

À LA PARADE
Les orchestres militaires font grand usage des cuivres, parce qu'ils sont faciles à transporter lors des défilés, et qu'ils ont une sonorité puissante, exaltante. Ici, un rang de cornets précède un rang de cors d'harmonie. Les orchestres militaires comprennent aussi des bois, tels que des clarinettes et des saxophones. Les harmonies ne comportent en général que des cuivres, sauf la grosse caisse qui assure le rythme.

CORS FAITS MAIN
Cette gravure du XIXᵉ siècle représente l'assemblage manuel des diverses parties d'un cor dans une fabrique en France.

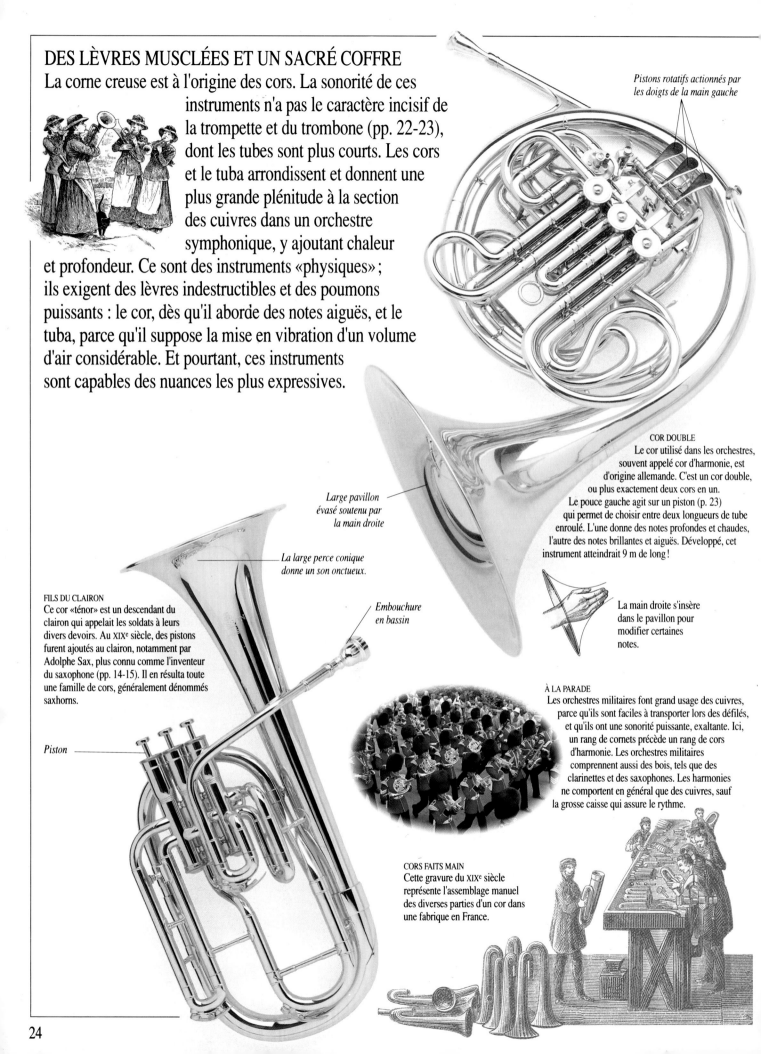

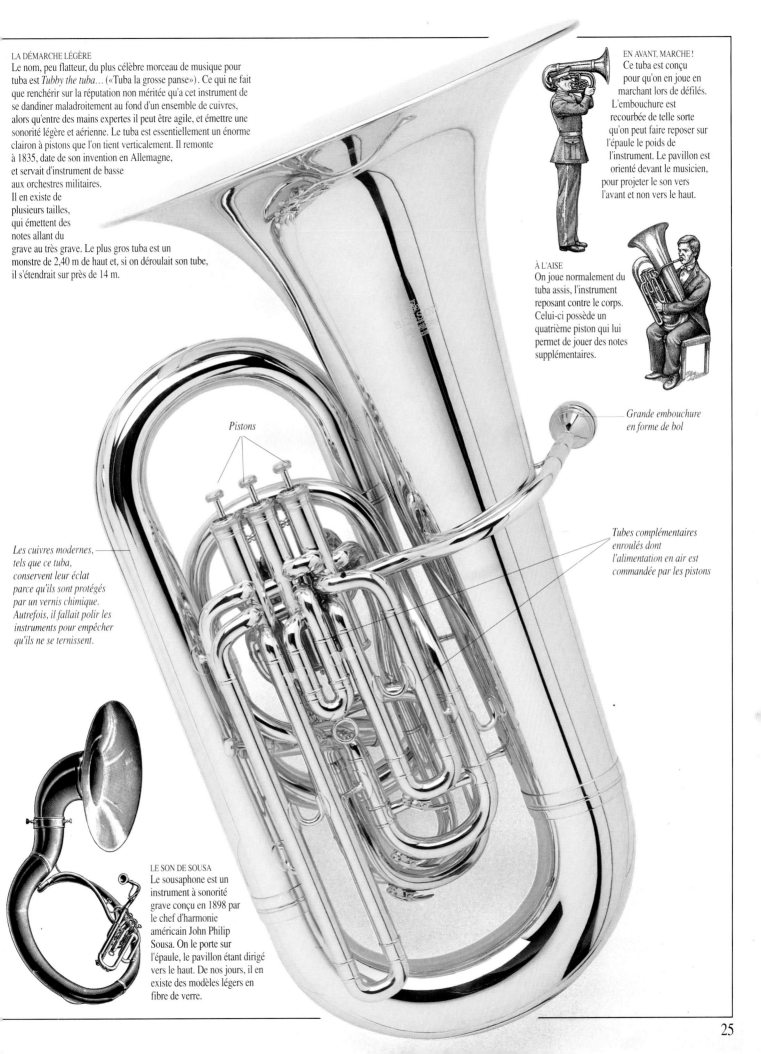

LA DÉMARCHE LÉGÈRE

Le nom, peu flatteur, du plus célèbre morceau de musique pour tuba est *Tubby the tuba...* («Tuba la grosse panse»). Ce qui ne fait que renchérir sur la réputation non méritée qu'a cet instrument de se dandiner maladroitement au fond d'un ensemble de cuivres, alors qu'entre des mains expertes il peut être agile, et émettre une sonorité légère et aérienne. Le tuba est essentiellement un énorme clairon à pistons que l'on tient verticalement. Il remonte à 1835, date de son invention en Allemagne, et servait d'instrument de basse aux orchestres militaires. Il en existe de plusieurs tailles, qui émettent des notes allant du grave au très grave. Le plus gros tuba est un monstre de 2,40 m de haut et, si on déroulait son tube, il s'étendrait sur près de 14 m.

EN AVANT, MARCHE !

Ce tuba est conçu pour qu'on en joue en marchant lors de défilés. L'embouchure est recourbée de telle sorte qu'on peut faire reposer sur l'épaule le poids de l'instrument. Le pavillon est orienté devant le musicien, pour projeter le son vers l'avant et non vers le haut.

À L'AISE

On joue normalement du tuba assis, l'instrument reposant contre le corps. Celui-ci possède un quatrième piston qui lui permet de jouer des notes supplémentaires.

Grande embouchure en forme de bol

Pistons

Tubes complémentaires enroulés dont l'alimentation en air est commandée par les pistons

Les cuivres modernes, tels que ce tuba, conservent leur éclat parce qu'ils sont protégés par un vernis chimique. Autrefois, il fallait polir les instruments pour empêcher qu'ils ne se ternissent.

LE SON DE SOUSA

Le sousaphone est un instrument à sonorité grave conçu en 1898 par le chef d'harmonie américain John Philip Sousa. On le porte sur l'épaule, le pavillon étant dirigé vers le haut. De nos jours, il en existe des modèles légers en fibre de verre.

PHYSIQUE DES CORDES ET RICHESSE D'EXPRESSION

L'acoustique est la partie de la physique qui étudie les sons et, notamment, les sons musicaux. Pythagore (vers 582-507 av. J.-C.), le premier, établit que la hauteur du son émis par une corde pincée est en raison inverse de la longueur de cette corde. Deux cordes voisines, également tendues, produisent des notes harmoniques lorsque leurs longueurs sont dans des rapports simples : 2 à 3 ou 4 à 5. Ce principe est à la base de la conception de tous les instruments à cordes. Il s'applique aussi aux instruments à vent, mais alors, c'est la longueur de la colonne d'air qui est en cause. La tension et le poids des cordes sont aussi déterminants.

Ce sont les doigts qui sont à l'origine de chaque note dans le cas du violon, de la guitare ou du sitar indien. Le fait de pouvoir agir si directement sur la hauteur, sur la sonorité et sur le timbre ouvre de grandes possibilités d'expression musicale à ceux qui jouent de ces instruments. Sans doute est-ce le violon, dont les cordes sont frottées par un archet, qui permet d'atteindre la plus grande subtilité expressive : il est l'instrument-roi de l'orchestre classique. Il est plus difficile d'agir sur chaque son avec une harpe ou un piano, mais leur grand nombre de cordes permet de faire sonner de riches accords ou de produire de véritables cascades de notes.

LA FORCE DE LA MUSIQUE
Les cordes d'un instrument doivent être solides pour résister à la forte tension et aux vibrations éprouvées pendant le jeu. Le plus souvent, elles sont faites en fil de nylon ou d'acier.

La table d'harmonie se situe à la surface supérieure de la caisse creuse.

Des ouïes en forme de f laissent passer le son provenant de l'intérieur de la caisse.

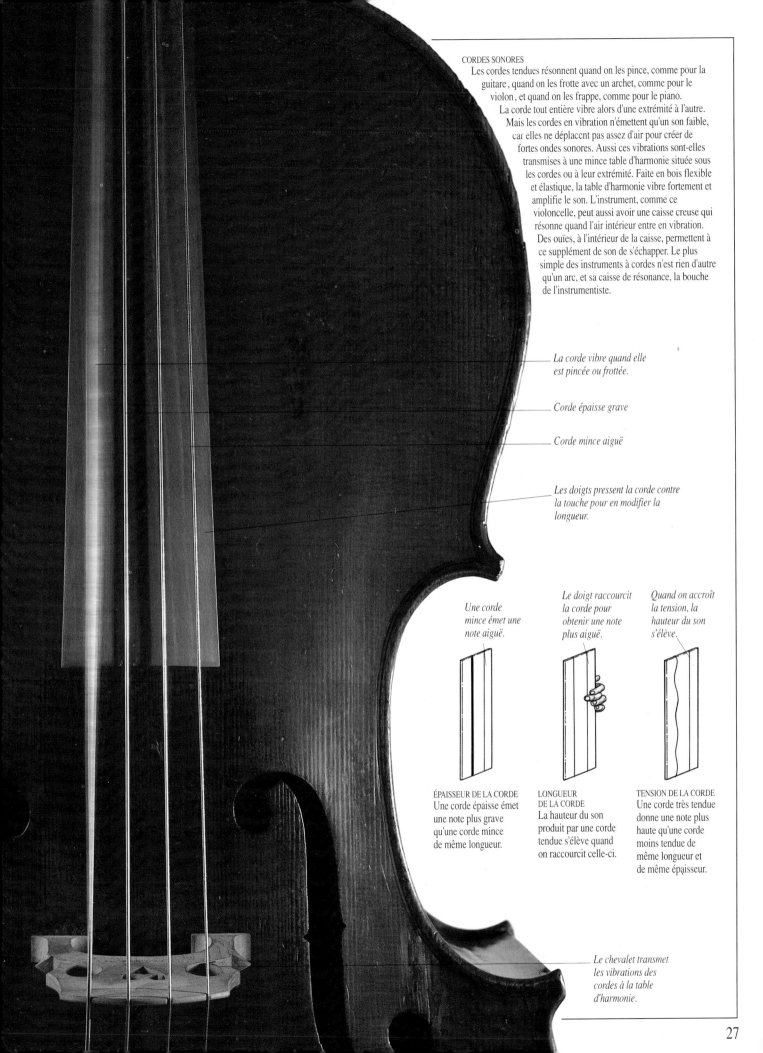

CORDES SONORES

Les cordes tendues résonnent quand on les pince, comme pour la
guitare , quand on les frotte avec un archet, comme pour le
violon , et quand on les frappe, comme pour le piano.
La corde tout entière vibre alors d'une extrémité à l'autre.
Mais les cordes en vibration n'émettent qu'un son faible,
car elles ne déplacent pas assez d'air pour créer de
fortes ondes sonores. Aussi ces vibrations sont-elles
transmises à une mince table d'harmonie située sous
les cordes ou à leur extrémité. Faite en bois flexible
et élastique, la table d'harmonie vibre fortement et
amplifie le son. L'instrument, comme ce
violoncelle, peut aussi avoir une caisse creuse qui
résonne quand l'air intérieur entre en vibration.
Des ouïes, à l'intérieur de la caisse, permettent à
ce supplément de son de s'échapper. Le plus
simple des instruments à cordes n'est rien d'autre
qu'un arc, et sa caisse de résonance, la bouche
de l'instrumentiste.

*La corde vibre quand elle
est pincée ou frottée.*

Corde épaisse grave

Corde mince aiguë

*Les doigts pressent la corde contre
la touche pour en modifier la
longueur.*

*Une corde
mince émet une
note aiguë.*

*Le doigt raccourcit
la corde pour
obtenir une note
plus aiguë.*

*Quand on accroît
la tension, la
hauteur du son
s'élève.*

ÉPAISSEUR DE LA CORDE
Une corde épaisse émet
une note plus grave
qu'une corde mince
de même longueur.

LONGUEUR
DE LA CORDE
La hauteur du son
produit par une corde
tendue s'élève quand
on raccourcit celle-ci.

TENSION DE LA CORDE
Une corde très tendue
donne une note plus
haute qu'une corde
moins tendue de
même longueur et
de même épaisseur.

*Le chevalet transmet
les vibrations des
cordes à la table
d'harmonie.*

LES INSTRUMENTS À CORDES JOUENT LA VARIÉTÉ

Les instruments à cordes frottées que nous connaissons actuellement sont l'aboutissement de plusieurs siècles de «perfectionnements». D'où une relative unité de caractéristiques, alors que leurs ancêtres présentaient une grande variété de formes, de conceptions et de façons de jouer : dos arrondis ou plats, manches avec ou sans frettes, cordes plus ou moins nombreuses, simples ou par paires – pour ne rien dire des cordes «sympathiques» –, tenue des instruments verticale ou contre la poitrine. Certaines de ces particularités se sont perpétuées dans les musiques populaires ou sont remises au goût du jour par la vogue des interprétations sur instruments d'époque.

Cette sculpture en bois, représentant un ange avec une viole, date de 1390.

Le petit rebec, à la caisse arrondie en forme de poire, est l'ancêtre du violon. On le tenait horizontalement, appuyé contre la poitrine, et on en jouait avec un archet.

Tête sculptée d'un personnage mythologique, peut-être Ariane ; sur de nombreux instruments, on trouve une tête de Cupidon.

Volute avec une tête de lion sculptée

Chevilles d'accord en ivoire

Motifs végétaux dessinés à la plume

Sous les sept cordes mélodiques se trouvent sept cordes sympathiques.

SPLENDEUR MOYEN-ORIENTALE
Les tout premiers instruments à archet remontent au Xᵉ siècle. Ci-contre, ce violon à pique à trois cordes a été fabriqué en Iran au XVIIIᵉ siècle. La pique commence aux chevilles d'accord en ivoire, passe au travers du manche, puis au travers de la caisse ronde. L'instrument est en bois, orné de fines incrustations.

JEU DE CHEVAL
Le *morin-khuur*, un violon de Mongolie, possède une caisse carrée et une élégante tête de cheval sculptée sur la volute.

Membrane recouvrant la caisse de résonance

La pique traverse tout l'instrument.

ART POPULAIRE SCANDINAVE
Ce bel instrument, datant du milieu du XXᵉ siècle, est un violon populaire norvégien. Il fut très en vogue à Hardanger à partir de 1670. La caisse est décorée de dessins à la plume et le manche est incrusté d'os et de corne. Sous les quatre cordes à jouer se trouvent quatre cordes sympathiques, accordées pour résonner lorsque les cordes mélodiques vibrent.

La pique repose sur le sol pendant que l'on joue.

INFLUENCE DE CUPIDON
La «viole d'amour» était montée de six ou sept cordes mélodiques doublées à l'unisson par autant de cordes sympathiques. Son nom romantique vient peut-être de la sonorité ainsi obtenue. Les cordes et la forme de la caisse sont semblables à celles de la viole, mais, comme l'alto (p. 30), on tient cet instrument sous le menton et il n'a pas de frettes. Vivaldi a écrit pour la viole d'amour, mais sa sonorité délicate et complexe en fait un instrument soliste et non d'orchestre.

Le manche et la volute sont formés d'une seule pièce de bois.

LE MAÎTRE DE DANSE
Comme le montre cette gravure de la fin du XVIIIᵉ siècle, le maître de danse se servait d'une pochette pour accompagner ses leçons. Ce violon tire son nom de sa taille qui lui permettait de tenir dans une poche.

Les violons de Stroh n'avaient qu'une seule corde.

Le pavillon amplificateur peut être orienté pour projeter le son dans la direction voulue.

Pavillon amplificateur en métal

UNE INVENTION INSOLITE
Le violon de Stroh, ou violon à pavillon, fut inventé par le musicien anglais Charles Stroh en 1901. Son unique corde mettait en vibration un diaphragme situé sur le côté du pontet, et le pavillon amplifiait le son produit par le diaphragme, à la manière des premiers phonographes. On l'utilisait dans les spectacles de variétés et de music-hall. Dans les premiers studios d'enregistrement, les violons étaient munis de pavillons amplificateurs placés sur les côtés.

Tête sculptée miniature

MINIATURE À DANSER
La pochette était un petit violon très pratiqué en Europe aux XVIIᵉ et XVIIIᵉ siècles. La forme arrondie de la caisse est issue du rebec médiéval.

JOUER DE LA VIOLE
La viole possède un son doux qui se fond harmonieusement avec les autres instruments. L'archet se tient la paume tournée vers l'extérieur, et l'instrument se pose entre les genoux, ou encore entre les mollets, pour les plus grands. Très populaires jusqu'à la fin du XVIIᵉ siècle, les violes ont été alors supplantées par les violons.

UN AIR DE FAMILLE
Les violes forment une famille d'instruments à six cordes, munis de frettes comme la guitare (p. 42), mais on en joue avec un archet. Cette belle basse de viole a été fabriquée en Angleterre en 1713. Elle possède des frettes en boyau que l'on peut déplacer pour parfaire l'accord.

COUSIN DU VIOLONCELLE
Sur ce tableau italien du XVIᵉ siècle, on voit une basse de viole présentant certaines similitudes avec le violoncelle (p. 31), qui apparut à cette époque. Elle a par exemple des ouïes en forme de *f*.

Ouïe en forme de C que l'on trouve sur la plupart des instruments de la famille des violes de gambe.

LE VIOLON ET SA FAMILLE

Le violon, dans sa forme actuelle, existe depuis le XVIe siècle. Sa richesse et sa puissance, soutenues par des techniques de jeu autorisant une expressivité sans égale, ont permis au violon et à sa famille (alto, violoncelle et contrebasse) de supplanter rapidement les violes. Au XVIIIe siècle, le quatuor à cordes et l'orchestre symphonique ont consacré sa primauté dans la musique occidentale classique. Il s'est aussi imposé dans la musique populaire. La contrebasse, elle, a conquis le monde du jazz.

UN DIABLE AU VIOLON
Le violoniste italien Niccolo Paganini (1782-1840) a marqué de son incroyable virtuosité la musique pour violon. On le soupçonnait même d'avoir passé un pacte avec le diable, tant son jeu avait un caractère réellement démoniaque. Paganini est surtout connu pour ses œuvres pour violon solo, ses *Caprices*, dont certaines ont été reprises en variations par d'autres compositeurs.

LE GÉNIE AU TRAVAIL
On dit que les instruments de Stradivarius (1644-1737) sont les meilleurs qui aient jamais été fabriqués. On n'a pratiquement pas modifié les formes du violon depuis.

La forme de l'archet est identique pour le violon, l'alto et le violoncelle.

LES EXERCICES MÈNENT À LA PERFECTION
Fabriqué vers 1910 par un facteur anglais, cet instrument insolite a été conçu pour permettre aux violonistes de s'exercer. Les cordes, pincées ou frottées, n'émettent qu'un son très faible, car cet instrument n'a pas de table d'harmonie : il est idéal pour qui veut jouer la nuit sans déranger ses voisins !

La corde la plus mince produit les notes les plus hautes.

Le quatuor à cordes (deux violons, un alto et un violoncelle) est une formation classique de musique de chambre.

VIOLON
Le violon est l'instrument le plus petit et le plus aigu de la famille. On en joue en le plaçant sous le menton. Des compositeurs comme Bach et Mozart ont été séduits par la sonorité brillante que produit sa corde aiguë de Mi.

ALTO
L'alto est comme un violon fidèlement agrandi. Ses quatre cordes sont accordées une quinte en dessous de celles du violon, et il possède une chaude sonorité de ténor. On l'utilise surtout dans les parties intermédiaires d'orchestre.

Violon

Alto

Violoncelle

Contrebasse

Etendue des notes couvertes par la famille des violons comparée au Do médian

*Chaque cheville
d'accord contrôle
une corde.*

VIOLONCELLE
Le violoncelle a un registre
grave ; ses quatre cordes sont
accordées un octave au-
dessous de l'alto. Le
violoncelliste joue assis,
l'instrument reposant sur une
pique en métal. C'est un
instrument remarquablement
expressif, la corde aiguë de
La possédant une sonorité
merveilleusement chantante.
On en joue souvent en solo.

*L'archet français de
contrebasse se tient
comme un archet de
violon ou de
violoncelle, la main
au-dessus.*

*L'archet allemand a une
hausse plus grande
(p. 33) ; on le tient comme
un archet de viole, dans
le creux de la main,
paume vers le haut.*

CONTREBASSE
La contrebasse est l'instrument le plus grave de la famille des cordes.
Mesurant environ 1,90 m de la volute à la pique, elle se pose sur le
sol et le contrebassiste en joue debout, en se plaçant derrière. A la
différence des autres membres de la famille des violons,
cette contrebasse a des «épaules» tombantes, comme
la basse de viole (p. 29). On lui ajoute parfois
une cinquième corde pour élargir
l'étendue dans le grave. Pincée,
la contrebasse produit un son
profond, résonnant. On l'utilise
de cette façon en jazz et
en musique populaire
comme élément de la
section rythmique.

*Ouïes en forme de f
typiques de la
famille des violons*

Hausse

*Pique grâce à laquelle le
violoncelle repose sur le sol.*

L'ART DU LUTHIER : CHAQUE PIÈCE A SON RÔLE À JOUER

Les facteurs d'instruments à cordes frottées sont appelés luthiers. Leur art est exigeant. Le travail est presque entièrement manuel. Les bois doivent être soigneusement choisis ; la découpe, la taille, la mise en forme, la finition et l'assemblage des différentes parties nécessitent plusieurs mois. Le résultat est un véritable bijou d'ébénisterie qui répond aux moindres sollicitations du violoniste. Les vibrations des cordes se transmettent par le chevalet à la table d'harmonie qui recouvre la caisse de résonance, où elles acquièrent leur plénitude et leur puissance.

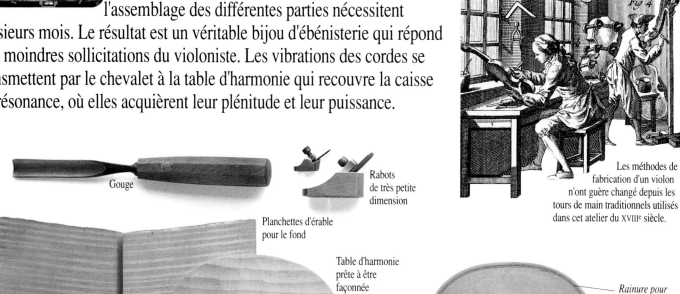

Les méthodes de fabrication d'un violon n'ont guère changé depuis les tours de main traditionnels utilisés dans cet atelier du XVIIIe siècle.

Gouge

Rabots de très petite dimension

Planchettes d'érable pour le fond

Table d'harmonie prête à être façonnée

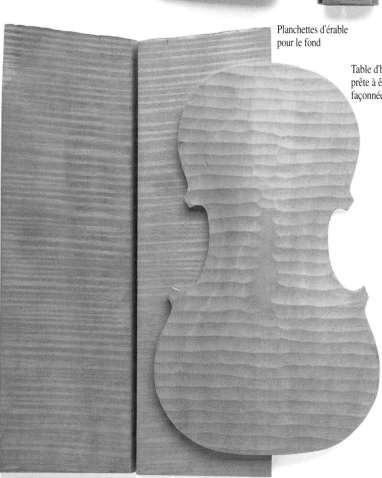

Rainure pour insérer le filet

Filet constitué de plusieurs bois

FAÇONNAGE DE LA TABLE D'HARMONIE

Un violon est issu de planchettes découpées comme des tranches de cake dans un tronc d'arbre. Le bois doit être à la fois résistant et souple pour donner à l'instrument une sonorité brillante. On choisit un bois tendre tel que le sapin pour le dessus de la caisse (table d'harmonie), et un bois dur, l'érable, pour le fond. Bien qu'il existe parfois des fonds, et plus rarement des tables, d'une seule pièce, ces deux éléments sont en général formés chacun de deux planchettes rapportées et collées ensemble pour que le grain du bois soit également réparti. Les contours de la table et du fond sont ensuite dessinés sur ces planchettes à l'aide de gabarits, puis elles sont soigneusement découpées avec une scie fine. On travaille alors le bois avec des gouges pour lui donner la courbure des voûtes. Puis le luthier utilise une série de petits rabots pour éliminer les traces des gouges – le plus petit rabot a la taille de l'ongle du pouce. C'est un travail délicat car de très légers écarts par rapport aux dimensions souhaitées peuvent modifier la sonorité du violon. Ces pièces de bois sont légèrement bombées en leur centre, et les bords restent plats.

FINITION DE LA CAISSE

L'étape suivante consiste à creuser, autour du bord de la table d'harmonie, une étroite rainure, dans laquelle on incruste une fine lanière de bois appelée «filet», traditionnellement constituée de trois brins de bois collés ensemble, un clair encadré de deux foncés. Ce filet est certes décoratif, mais il sert aussi à empêcher le bois de se fendre. Table d'harmonie et fond sont ensuite retravaillés pour que leur surface intérieure ait la forme voulue. Une fois terminée, la table a une épaisseur d'environ 3 mm, tandis que le fond est légèrement plus épais en son centre.

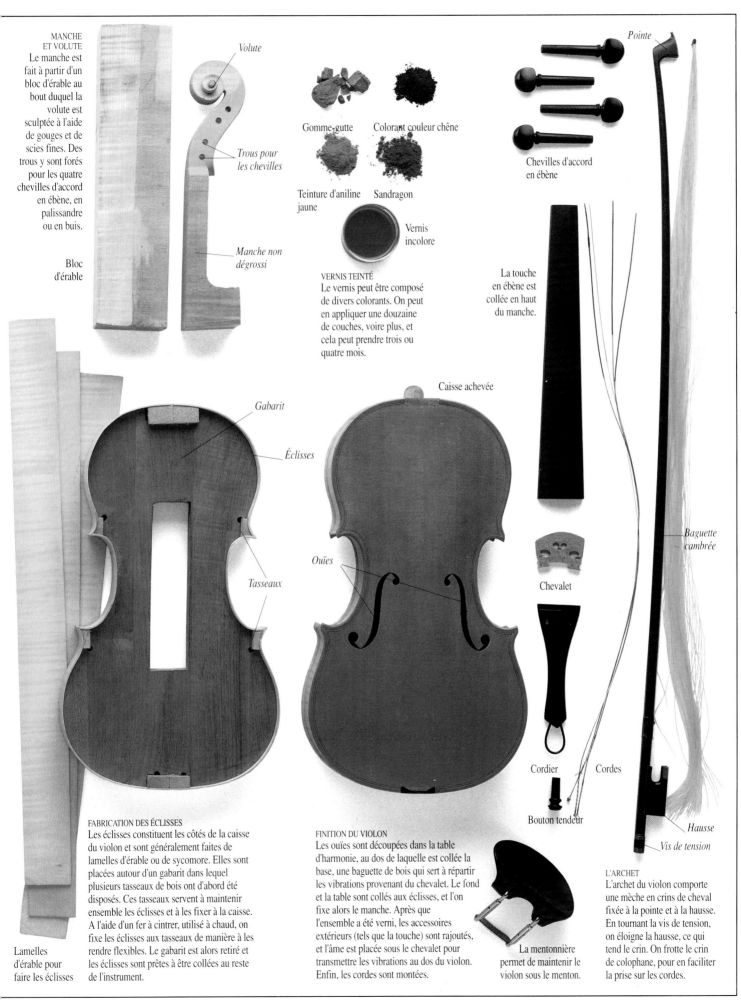

MANCHE ET VOLUTE
Le manche est fait à partir d'un bloc d'érable au bout duquel la volute est sculptée à l'aide de gouges et de scies fines. Des trous y sont forés pour les quatre chevilles d'accord en ébène, en palissandre ou en buis.

Volute

Trous pour les chevilles

Manche non dégrossi

Bloc d'érable

Gomme-gutte

Colorant couleur chêne

Teinture d'aniline jaune

Sandragon

Vernis incolore

VERNIS TEINTÉ
Le vernis peut être composé de divers colorants. On peut en appliquer une douzaine de couches, voire plus, et cela peut prendre trois ou quatre mois.

Pointe

Chevilles d'accord en ébène

La touche en ébène est collée en haut du manche.

Caisse achevée

Gabarit

Éclisses

Ouïes

Tasseaux

Baguette cambrée

Chevalet

Cordier

Cordes

Bouton tendeur

Hausse

Vis de tension

FABRICATION DES ÉCLISSES
Les éclisses constituent les côtés de la caisse du violon et sont généralement faites de lamelles d'érable ou de sycomore. Elles sont placées autour d'un gabarit dans lequel plusieurs tasseaux de bois ont d'abord été disposés. Ces tasseaux servent à maintenir ensemble les éclisses et à les fixer à la caisse. A l'aide d'un fer à cintrer, utilisé à chaud, on fixe les éclisses aux tasseaux de manière à les rendre flexibles. Le gabarit est alors retiré et les éclisses sont prêtes à être collées au reste de l'instrument.

Lamelles d'érable pour faire les éclisses

FINITION DU VIOLON
Les ouïes sont découpées dans la table d'harmonie, au dos de laquelle est collée la base, une baguette de bois qui sert à répartir les vibrations provenant du chevalet. Le fond et la table sont collés aux éclisses, et l'on fixe alors le manche. Après que l'ensemble a été verni, les accessoires extérieurs (tels que la touche) sont rajoutés, et l'âme est placée sous le chevalet pour transmettre les vibrations au dos du violon. Enfin, les cordes sont montées.

La mentonnière permet de maintenir le violon sous le menton.

L'ARCHET
L'archet du violon comporte une mèche en crins de cheval fixée à la pointe et à la hausse. En tournant la vis de tension, on éloigne la hausse, ce qui tend le crin. On frotte le crin de colophane, pour en faciliter la prise sur les cordes.

LES HARPES ET LES LYRES DÉFIENT LE TEMPS

Ce sont les instruments du bien : les anges jouent de la harpe et aucun être vivant ne résiste au charme de la lyre d'Orphée. Ils sont répandus dans le monde entier et leur origine se perd dans la nuit des temps. Cordes tendues sur un cadre, on les imagine issues de l'arc. Ce sont des instruments à cordes pincées. Chaque corde produit une note différente.

La plupart du temps, elles sont accordées selon les intervalles d'une gamme donnée. La harpe de concert, à la suprême élégance, est aussi difficile à jouer que sa musique coule avec facilité : quarante-sept cordes à pincer et sept pédales sous les pieds qui modifient la hauteur de son des cordes, il y a largement de quoi s'occuper…

ART PRIMITIF
Vers 2500 av. J.-C., les Sumériens jouaient de harpes telles que celle qui est représentée sur ce bas-relief d'Our (dans l'Irak actuel).

LA LYRE DES POÈTES
La *bagana*, une lyre en forme de boîte jouée en Ethiopie et dans certains pays africains limitrophes, est une survivance de la lyre de la Grèce antique. La famille royale et les riches nobles en jouaient tout en déclamant de la poésie. Les six cordes sont accordées en tournant les baguettes que l'on voit sur la traverse supérieure, et sont pincées avec un plectre ou avec les doigts nus. Par l'intermédiaire du chevalet, les cordes transmettent leurs vibrations à la caisse de résonance recouverte de cuir.

Cadre en bois délicatement sculpté

CHARME MAGIQUE
Cette mosaïque du IIIᵉ siècle provient de Tarse, en Turquie, et représente Orphée apprivoisant des animaux sauvages avec sa lyre. Dans la mythologie grecque, Orphée charmait de son instrument les dieux et les mortels. C'est par ses mélodies qu'il apaisa les divinités des Enfers, et qu'il fut autorisé à ramener sa femme Eurydice du royaume des morts, à condition de ne pas la regarder avant qu'elle n'ait atteint la surface de la terre. Mais, malgré sa promesse, Orphée ne put s'empêcher de se retourner et de jeter un regard furtif à sa bien-aimée, qui aussitôt disparut dans les ténèbres.

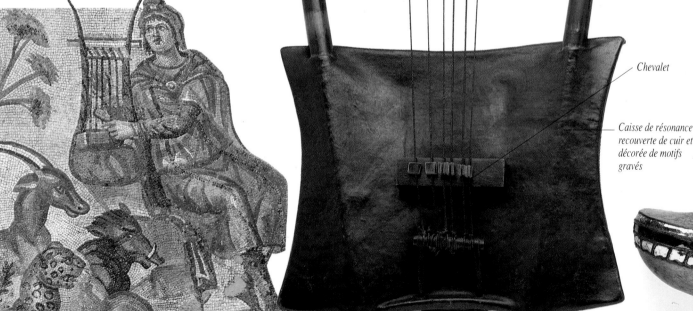

Chevalet

Caisse de résonance recouverte de cuir et décorée de motifs gravés

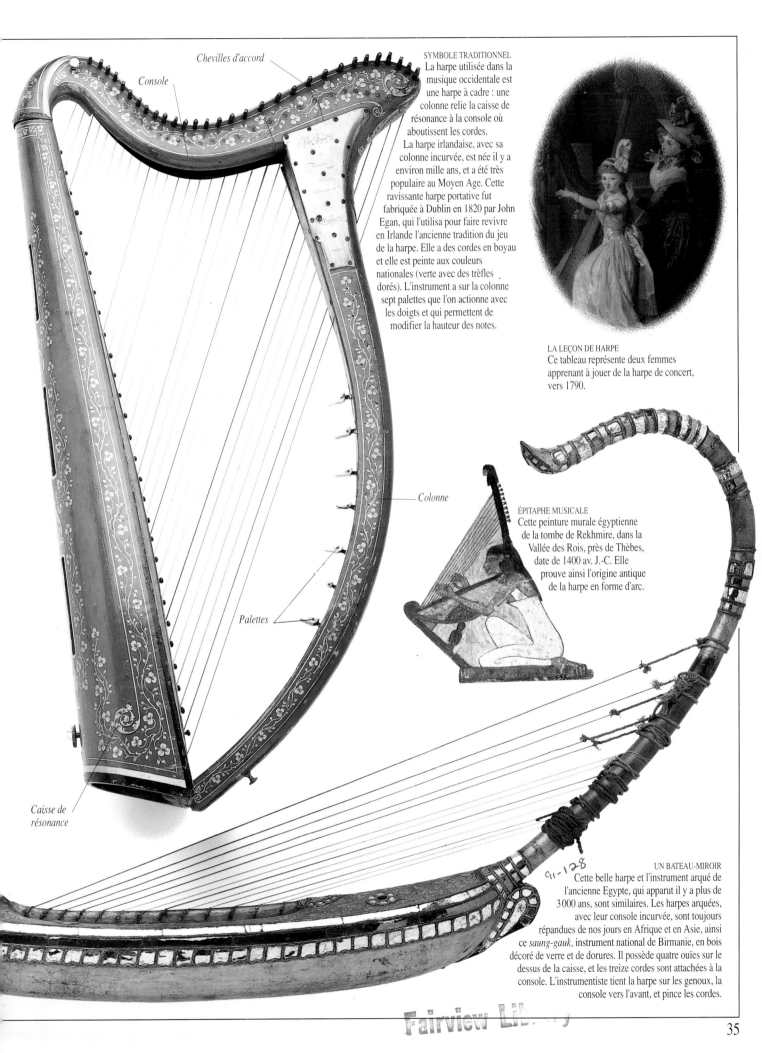

Chevilles d'accord

Console

La harpe utilisée dans la
musique occidentale est
une harpe à cadre : une
colonne relie la caisse de
résonance à la console où
aboutissent les cordes.
La harpe irlandaise, avec sa
colonne incurvée, est née il y a
environ mille ans, et a été très
populaire au Moyen Age. Cette
ravissante harpe portative fut
fabriquée à Dublin en 1820 par John
Egan, qui l'utilisa pour faire revivre
en Irlande l'ancienne tradition du jeu
de la harpe. Elle a des cordes en boyau
et elle est peinte aux couleurs
nationales (verte avec des trèfles
dorés). L'instrument a sur la colonne
sept palettes que l'on actionne avec
les doigts et qui permettent de
modifier la hauteur des notes.

LA LEÇON DE HARPE
Ce tableau représente deux femmes
apprenant à jouer de la harpe de concert,
vers 1790.

Colonne

ÉPITAPHE MUSICALE
Cette peinture murale égyptienne
de la tombe de Rekhmire, dans la
Vallée des Rois, près de Thèbes,
date de 1400 av. J.-C. Elle
prouve ainsi l'origine antique
de la harpe en forme d'arc.

Palettes

*Caisse de
résonance*

UN BATEAU-MIROIR
Cette belle harpe et l'instrument arqué de
l'ancienne Egypte, qui apparut il y a plus de
3 000 ans, sont similaires. Les harpes arquées,
avec leur console incurvée, sont toujours
répandues de nos jours en Afrique et en Asie, ainsi
ce *saung-gauk*, instrument national de Birmanie, en bois
décoré de verre et de dorures. Il possède quatre ouïes sur le
dessus de la caisse, et les treize cordes sont attachées à la
console. L'instrumentiste tient la harpe sur les genoux, la
console vers l'avant, et pince les cordes.

TOUT EST AU LUTH, ICI, MONSIEUR…

Il a au moins quatre mille ans. C'est l'ancêtre commun le plus lointain de la guitare, de la mandoline, etc. Ses cordes sont pincées, son manche comporte, en général, des frettes. Mais il se distingue de la guitare par sa caisse en forme de demi-poire et par le nombre, parfois impressionnant – treize paires –, de ses cordes. Le placement des doigts devient un exercice d'équilibre et le joueur passe, dit-on, plus de temps à accorder son instrument qu'à en jouer. Sans doute est-ce l'explication de la désuétude qui le frappe, dans la musique occidentale, depuis deux cents ans.

Musicien du XVIIᵉ siècle avec un colachon

SOLO TATOU

Le *charango* est un petit luth sud-américain dont la caisse est faite d'une carapace de tatou. Cet instrument a été fabriqué en Bolivie et possède cinq cordes doubles. Le tatou étant maintenant un animal protégé, la plupart des charangos modernes possèdent des caisses en bois.

Luth classique du XVᵉ siècle, au dos bombé

UN ANCÊTRE ARABE

Le luth classique vient de l'*'ud,* un luth arabe qui parvint en Europe au XIIIᵉ siècle. Cet 'ud marocain ne date que d'une quarantaine d'années. Il a un chevillier en forme de S, une caisse plus épaisse et un manche plus étroit que le luth classique très répandu en Europe aux XVᵉ et XVIᵉ siècles.

RECOURBÉ EN ARRIÈRE

Les chevilliers des luths sont recourbés vers l'arrière, avec un angle plus ou moins grand. Ils ont aussi des cordes doubles.

On sèche la carapace de tatou dans un moule pour lui donner la forme voulue.

Tatou à six bandes

Cinq paires de cordes à vide «hors manche»

Six cordes doubles et deux simples

HAUTE TENSION

Ce luth baroque allemand a été fabriqué au XVIIIᵉ siècle par Johann Christian Hoffmann, un ami de J.-S. Bach. Il s'agit d'un type particulier de luth basse, appelé théorbe, avec deux chevilliers. Sur l'un, sont fixées quatorze cordes, que l'on peut presser sur une touche sans frettes, et sur l'autre, dix cordes graves «hors manche» qui sonnent à vide. On s'en servait pour jouer le continuo (basse continue et accords) dans la musique baroque de l'époque.

Un luth accompagnait souvent le chant.

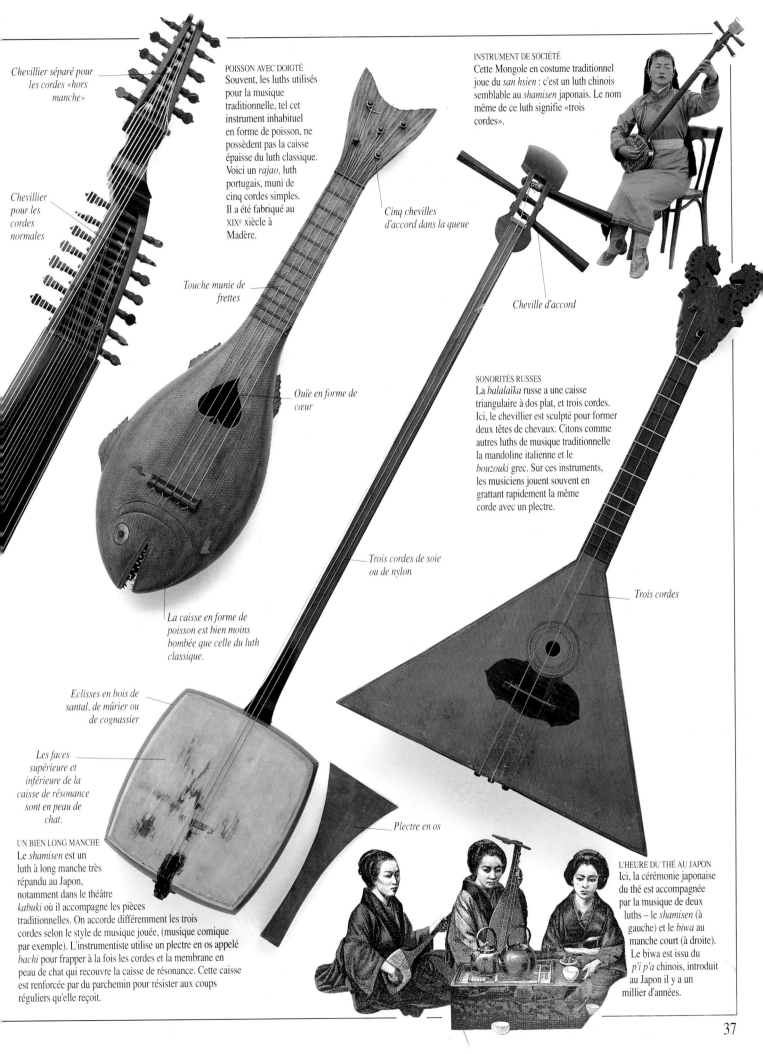

Chevillier séparé pour les cordes «hors manche»

Chevillier pour les cordes normales

POISSON AVEC DOIGTÉ
Souvent, les luths utilisés pour la musique traditionnelle, tel cet instrument inhabituel en forme de poisson, ne possèdent pas la caisse épaisse du luth classique. Voici un *rajao*, luth portugais, muni de cinq cordes simples. Il a été fabriqué au XIXe xiècle à Madère.

INSTRUMENT DE SOCIÉTÉ
Cette Mongole en costume traditionnel joue du *san hsien* : c'est un luth chinois semblable au *shamisen* japonais. Le nom même de ce luth signifie «trois cordes».

Cinq chevilles d'accord dans la queue

Touche munie de frettes

Ouïe en forme de cœur

Cheville d'accord

SONORITÉS RUSSES
La *balalaïka* russe a une caisse triangulaire à dos plat, et trois cordes. Ici, le chevillier est sculpté pour former deux têtes de chevaux. Citons comme autres luths de musique traditionnelle la mandoline italienne et le *bouzouki* grec. Sur ces instruments, les musiciens jouent souvent en grattant rapidement la même corde avec un plectre.

Trois cordes de soie ou de nylon

Trois cordes

La caisse en forme de poisson est bien moins bombée que celle du luth classique.

Eclisses en bois de santal, de mûrier ou de cognassier

Les faces supérieure et inférieure de la caisse de résonance sont en peau de chat.

Plectre en os

UN BIEN LONG MANCHE
Le *shamisen* est un luth à long manche très répandu au Japon, notamment dans le théâtre *kabuki* où il accompagne les pièces traditionnelles. On accorde différemment les trois cordes selon le style de musique jouée, (musique comique par exemple). L'instrumentiste utilise un plectre en os appelé *bachi* pour frapper à la fois les cordes et la membrane en peau de chat qui recouvre la caisse de résonance. Cette caisse est renforcée par du parchemin pour résister aux coups réguliers qu'elle reçoit.

L'HEURE DU THÉ AU JAPON
Ici, la cérémonie japonaise du thé est accompagnée par la musique de deux luths – le *shamisen* (à gauche) et le *biwa* au manche court (à droite). Le biwa est issu du *p'i p'a* chinois, introduit au Japon il y a un millier d'années.

DES CITHARES, TOUJOURS DES CITHARES…

La cithare est répandue, notamment en Afrique et en Asie du Sud-Est. Pour comprendre comment elle produit des sons, tentez l'expérience de creuser une petite cavité dans le sol, en travers de laquelle vous tendez une corde, et pincez la corde : l'air contenu dans la cavité résonne, émettant une note. Autour de ce principe, des variantes sont possibles : quels que soient le nombre et la nature des cordes, qu'on les frappe ou qu'on les pince, leurs vibrations sont transmises à un volume d'air délimité par un récipient dont les caractéristiques déterminent la nature du son produit. Les cithares sont très utilisées dans les musiques traditionnelles et populaires. Ainsi le *kin*, dans la Chine ancienne, était-il lié à la réflexion philosophique. Le jeu des cithares est simple, dans la mesure où à chaque corde correspond une seule note. Avec deux mains, pourvu que les cordes soient en nombre suffisant, on peut jouer la mélodie et l'accompagnement.

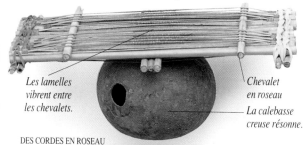

Les lamelles vibrent entre les chevalets.

Chevalet en roseau

La calebasse creuse résonne.

DES CORDES EN ROSEAU
Dans cette cithare «radeau» du Nigéria, les cordes sont de fines lamelles d'écorce de roseau, découpées dans les roseaux mêmes dont on fait le radeau.

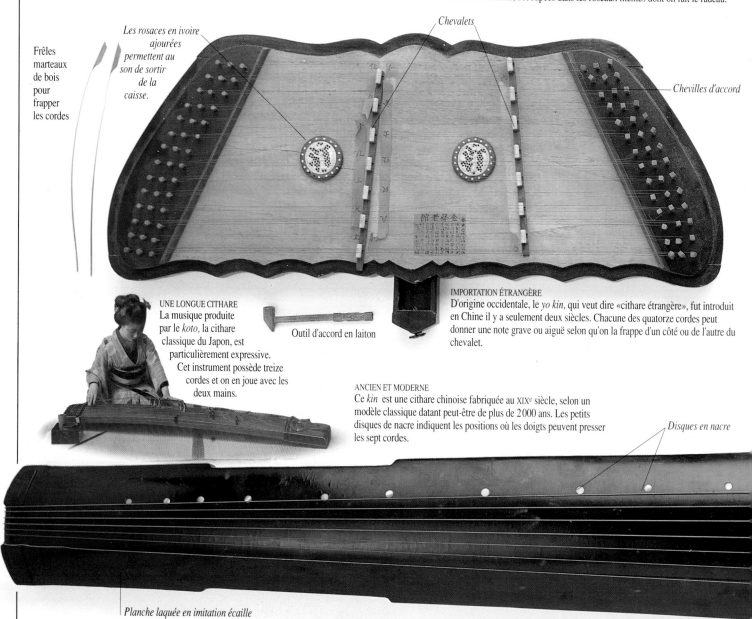

Frêles marteaux de bois pour frapper les cordes

Les rosaces en ivoire ajourées permettent au son de sortir de la caisse.

Chevalets

Chevilles d'accord

UNE LONGUE CITHARE
La musique produite par le *koto*, la cithare classique du Japon, est particulièrement expressive. Cet instrument possède treize cordes et on en joue avec les deux mains.

Outil d'accord en laiton

IMPORTATION ÉTRANGÈRE
D'origine occidentale, le *yo kin*, qui veut dire «cithare étrangère», fut introduit en Chine il y a seulement deux siècles. Chacune des quatorze cordes peut donner une note grave ou aiguë selon qu'on la frappe d'un côté ou de l'autre du chevalet.

ANCIEN ET MODERNE
Ce *kin* est une cithare chinoise fabriquée au XIXe siècle, selon un modèle classique datant peut-être de plus de 2000 ans. Les petits disques de nacre indiquent les positions où les doigts peuvent presser les sept cordes.

Disques en nacre

Planche laquée en imitation écaille

Morceaux de bois insérés

Frettes

Cordes pincées avec les doigts

UN BÂTON MUSICAL
Les principes qui permettent à tous les instruments à cordes tenus à la main de produire de la musique sont illustrés dans ce *tzeze*, une simple cithare sur bâton de l'Ouganda. Unc corde est fixée aux deux extrémités du bâton. D'une main, on pince la corde qui transmet ses vibrations au résonateur en calebasse. Les doigts de l'autre main, en appuyant la corde sur les frettes, la raccourcissent et modifient la hauteur de la note émise.

Calebasse creuse

Bâton

Incrustation représentant un instrumentiste

UN TUBE VIBRANT
L'île de Madagascar, au large de la côte sud-est de l'Afrique, est la patrie de ce simple tube-cithare, le *valiha*. La cithare est faite d'un morceau de bambou dans lequel on a directement découpé les cordes, et qui sont surélevées par de petits morceaux de bois pour leur permettre de vibrer. L'instrumentiste tient le tube verticalement, ou sous le bras, et pince les cordes tendues avec les doigts. On trouve également ce type de cithare dans l'Asie du Sud-Est.

Cordes mélodiques

Incrustations de nacre

DES PSALTÉRIONS AUX FORMES VARIÉES
Les psaltérions étaient des cithares médiévales aux formes parfois bizarres – certaines ressemblaient même à une tête de cochon –, avec des cordes de différentes longueurs. Le psaltérion est issu du *q'anum*, une cithare du Moyen-Orient qui arriva en Europe au XIe siècle.

Double touche

UNE CITHARE SEMBLABLE À UN LUTH
Le *bandoura,* instrument traditionnel de l'Ukraine, réunit les caractéristiques de la cithare et du luth (p. 36). Il a des cordes à jouer, que les doigts peuvent presser sur la double touche, et des cordes à vide, ou bourdons, qui sont pincées pour accompagner la mélodie. Cet instrument, fabriqué vers 1945, est décoré d'incrustations et de feuilles de chêne sculptées.

Cordes à vide

Décoration de feuilles de chêne sculptées

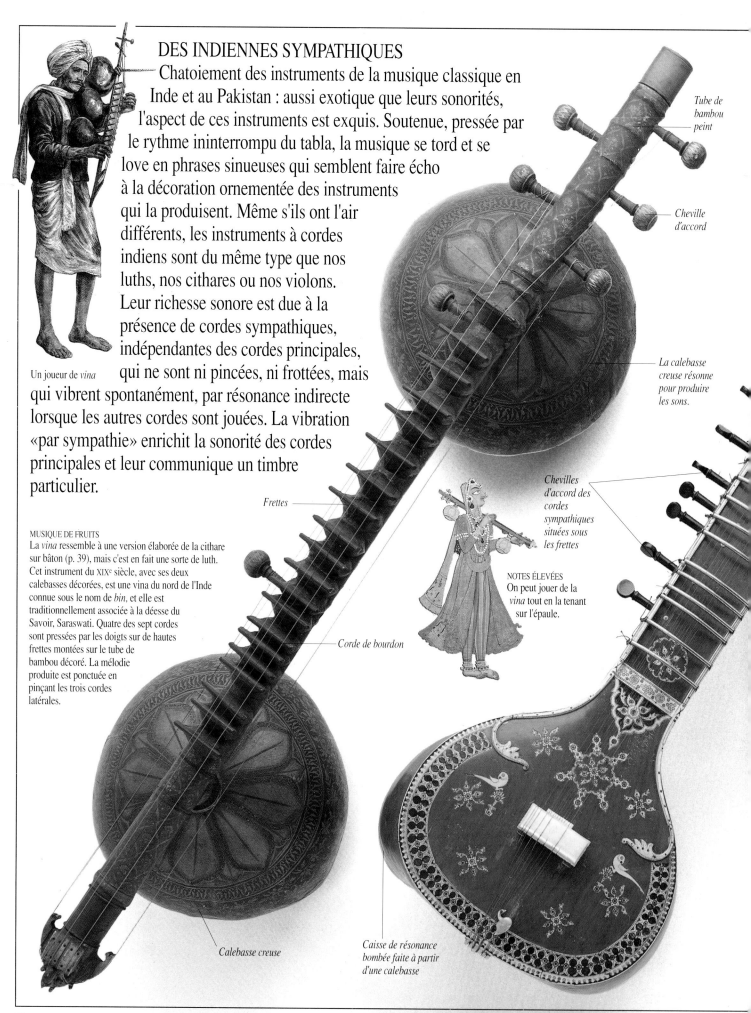

DES INDIENNES SYMPATHIQUES

Chatoiement des instruments de la musique classique en Inde et au Pakistan : aussi exotique que leurs sonorités, l'aspect de ces instruments est exquis. Soutenue, pressée par le rythme ininterrompu du tabla, la musique se tord et se love en phrases sinueuses qui semblent faire écho à la décoration ornementée des instruments qui la produisent. Même s'ils ont l'air différents, les instruments à cordes indiens sont du même type que nos luths, nos cithares ou nos violons. Leur richesse sonore est due à la présence de cordes sympathiques, indépendantes des cordes principales, qui ne sont ni pincées, ni frottées, mais qui vibrent spontanément, par résonance indirecte lorsque les autres cordes sont jouées. La vibration «par sympathie» enrichit la sonorité des cordes principales et leur communique un timbre particulier.

Un joueur de *vina*

MUSIQUE DE FRUITS
La *vina* ressemble à une version élaborée de la cithare sur bâton (p. 39), mais c'est en fait une sorte de luth. Cet instrument du XIXe siècle, avec ses deux calebasses décorées, est une vina du nord de l'Inde connue sous le nom de *bin*, et elle est traditionnellement associée à la déesse du Savoir, Saraswati. Quatre des sept cordes sont pressées par les doigts sur de hautes frettes montées sur le tube de bambou décoré. La mélodie produite est ponctuée en pinçant les trois cordes latérales.

Tube de bambou peint

Cheville d'accord

La calebasse creuse résonne pour produire les sons.

Chevilles d'accord des cordes sympathiques situées sous les frettes

NOTES ÉLEVÉES
On peut jouer de la *vina* tout en la tenant sur l'épaule.

Frettes

Corde de bourdon

Calebasse creuse

Caisse de résonance bombée faite à partir d'une calebasse

CHANT D'OISEAU
Ce *sitar* du XXe siècle est une sorte de grand luth et possède sept cordes principales qui passent sur des frettes métalliques arquées, ce qui permet à l'instrumentiste de tirer les cordes sur le côté, donc d'infléchir les notes pour produire des sons sinueux.

LA SONORITÉ DE L'INDE
Popularisée en Occident par Ravi Shankar et par d'autres musiciens indiens célèbres, le *sitar* est devenu le plus connu de tous les instruments de l'Inde. De ce fait, la silhouette du joueur de sitar, assis sur le sol, est une image familière.

Chevilles d'accord en bois

COURANTS SOUS-JACENTS
Comme le *sitar*, qu'il accompagne dans la musique indienne classique, le *tâmpûrâ* est un grand luth. Sous le flot de mélodie tournoyante du sitar, le tâmpûrâ joue un bourdon persistant. Les silhouettes peintes représentent Rama et sa femme Sita, personnages d'un ancien poème épique hindou.

Les chevilles d'accord sont placées tout le long du manche.

Ce musicien joue d'un instrument analogue au *sarangi*.

FIER COMME UN PAON
Ce magnifique instrument est un dilruba, dont on joue avec un archet. Il a la caisse du *sarangi*, mais le manche et les cordes le rapprochent du *sitar*. La caisse de résonance a la forme d'un paon. On l'appelle *mayuri* ou *ta'us* – mot qui veut dire «paon». Les sitars paons ont contribué à la splendeur des cours princières de l'Inde.

Chevalet en ivoire

Des plumes de paon décorent l'instrument.

Caisse en forme de 8 faite d'un seul bloc de bois

Pour remplacer les cordes, on peut faire basculer le cou du paon.

Caisse de résonance décorée

VIOLON INDIEN
Cette version indienne du violon est le *sarangi*. On tient sa caisse trapue verticalement, et on en joue avec un archet. Des cordes sympathiques passent à travers les trous de la large touche.

41

LA GUITARE A CONQUIS LE MONDE

On associe la guitare classique à l'Espagne, au point que, souvent, on l'appelle «guitare espagnole». C'est l'unique instrument mélodique du flamenco, cet extraordinaire folklore andalou fait de chants et de danses endiablés. On pense qu'elle dérive de l'ud et qu'elle s'est répandue en Espagne depuis l'Afrique du Nord. Dès le XVIIe siècle, on la trouve dans toute l'Europe. Aujourd'hui, la guitare, acoustique ou électrique, a conquis le monde et tient une place essentielle dans les musiques populaires dites «folk» ou «rock» d'Europe et d'Amérique.

Sur ce tableau représentant un guitariste espagnol du XIXe siècle, on voit déjà l'instrument dans sa forme actuelle.

Le manche est relié à la caisse par un solide tasseau.

LA GUITARE CLASSIQUE
Voici la forme traditionnelle de la guitare, souvent appelée «guitare espagnole». Elle a six cordes, généralement en nylon, et un manche large. Cette forme remonte au milieu du XIXe siècle, et fut portée à sa perfection par un charpentier espagnol nommé Antonio de Torres Jurado, dit Torres. Les guitares utilisées en musique populaire ont généralement une plaque de protection fixée à la caisse pour la protéger quand on s'en sert comme instrument de percussion avec les doigts.

Caisse avec ses barres de renfort

Gabarit

Des renforts de bois sont collés le long des bords des éclisses.

Guitare à caisse plate avec plaque de protection

Guitare classique

FABRICATION DE LA CAISSE
La partie la plus importante d'une guitare est la table d'harmonie – partie supérieure de la caisse de résonance située sous les cordes. Elle est faite de deux morceaux de résineux, épicéa ou cèdre d'Amérique du Nord (qui sont collés ensemble, puis découpés et mis en forme), ou bien de couches de contreplaqué. Pour renforcer cette table, des barres sont collées obliquement à l'intérieur selon un dessin qui est essentiel, car il détermine la sonorité de la guitare. Les côtés, ou éclisses, sont faits de deux bandes de bois de rose, de noyer, d'acajou, d'érable ou de sycomore. Ces bandes sont chauffées et mises en forme dans un gabarit. Des tasseaux de bois et des renforts sont fixés du côté intérieur des éclisses pour parfaire les liaisons avec la table et avec les autres parties.

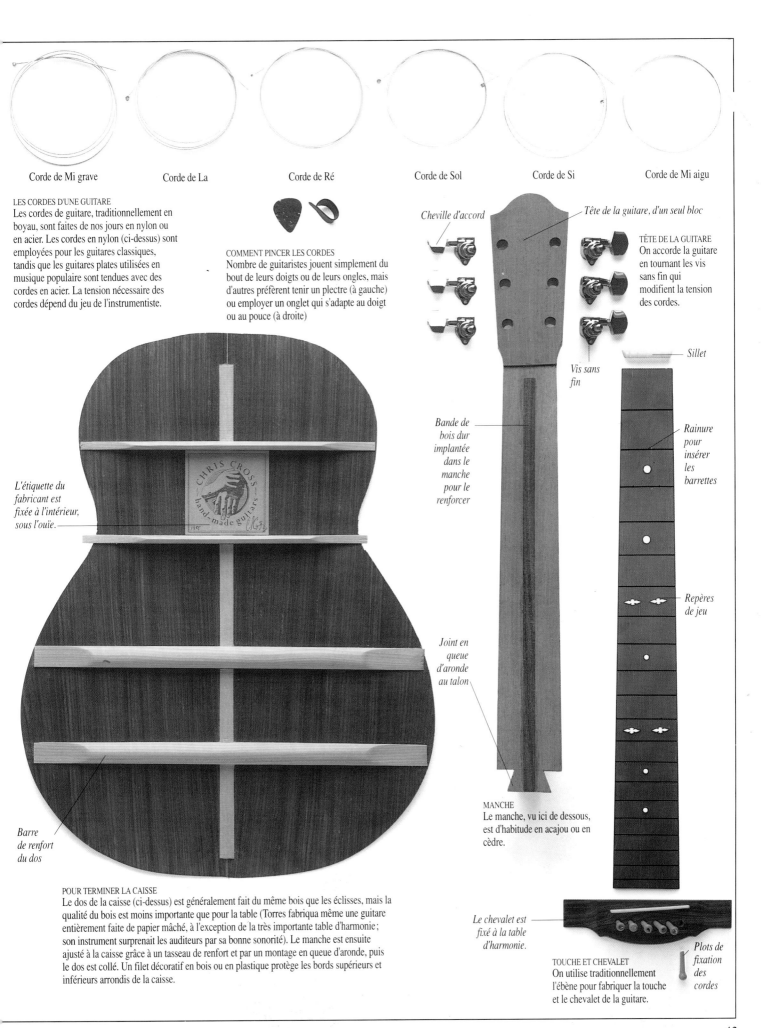

Corde de Mi grave   Corde de La   Corde de Ré   Corde de Sol   Corde de Si   Corde de Mi aigu

LES CORDES D'UNE GUITARE
Les cordes de guitare, traditionnellement en boyau, sont faites de nos jours en nylon ou en acier. Les cordes en nylon (ci-dessus) sont employées pour les guitares classiques, tandis que les guitares plates utilisées en musique populaire sont tendues avec des cordes en acier. La tension nécessaire des cordes dépend du jeu de l'instrumentiste.

COMMENT PINCER LES CORDES
Nombre de guitaristes jouent simplement du bout de leurs doigts ou de leurs ongles, mais d'autres préfèrent tenir un plectre (à gauche) ou employer un onglet qui s'adapte au doigt ou au pouce (à droite)

Cheville d'accord

Tête de la guitare, d'un seul bloc

TÊTE DE LA GUITARE
On accorde la guitare en tournant les vis sans fin qui modifient la tension des cordes.

Vis sans fin

Sillet

Bande de bois dur implantée dans le manche pour le renforcer

Rainure pour insérer les barrettes

L'étiquette du fabricant est fixée à l'intérieur, sous l'ouïe.

CHRIS CROSS
hand-made guitars

Repères de jeu

Joint en queue d'aronde au talon

Barre de renfort du dos

MANCHE
Le manche, vu ici de dessous, est d'habitude en acajou ou en cèdre.

POUR TERMINER LA CAISSE
Le dos de la caisse (ci-dessus) est généralement fait du même bois que les éclisses, mais la qualité du bois est moins importante que pour la table (Torres fabriqua même une guitare entièrement faite de papier mâché, à l'exception de la très importante table d'harmonie ; son instrument surprenait les auditeurs par sa bonne sonorité). Le manche est ensuite ajusté à la caisse grâce à un tasseau de renfort et par un montage en queue d'aronde, puis le dos est collé. Un filet décoratif en bois ou en plastique protège les bords supérieurs et inférieurs arrondis de la caisse.

Le chevalet est fixé à la table d'harmonie.

Plots de fixation des cordes

TOUCHE ET CHEVALET
On utilise traditionnellement l'ébène pour fabriquer la touche et le chevalet de la guitare.

PRÉLUDES AUX PIANOS

La maîtrise de cordes nombreuses, comme celles d'une cithare (p. 38), peut mettre en échec la dextérité de dix doigts. Les claviers, apparus dès l'antiquité avec les ancêtres de nos orgues, furent adaptés à certains instruments à cordes vers le XIᵉ siècle. Au XVᵉ siècle se répandent les claviers à cordes pincées, tels que le virginal, l'épinette ou le grand clavecin. Mais ceux-ci souffrent d'une autre limite : quelle que soit la force avec laquelle la touche est frappée, le volume sonore émis par la corde pincée reste à peu près le même. Dans le piano, les marteaux transmettent aux cordes l'exacte vigueur avec laquelle est frappée la touche qui les actionne : l'interprète produit à sa guise des sons faibles ou forts, «piano» ou «forte».

VIRGINAL PEINT
Ce tableau du XVIIᵉ siècle du peintre hollandais Vermeer représente une jeune femme assise au clavier d'un virginal. Son instrument est magnifiquement décoré, et le couvercle entrouvert découvre un paysage peint. La forme du meuble indique que les cordes de ce virginal sont pratiquement parallèles au clavier.

Tirette «forte» pour prolonger le son

Corde vibrante

Sautereau

Touche

SI ON ENFONCE UNE TOUCHE
Quand on enfonce la touche d'une épinette, d'un virginal ou d'un clavecin, on soulève un sautereau en bois muni d'une plume ou d'un plectre qui pince la corde.

Etouffoir

Sautereau

Corde

Plectre

QUAND LA TOUCHE REMONTE
Le plectre bascule et s'écarte de la corde tandis que l'étouffoir retombe.

Clavier de quatre octaves

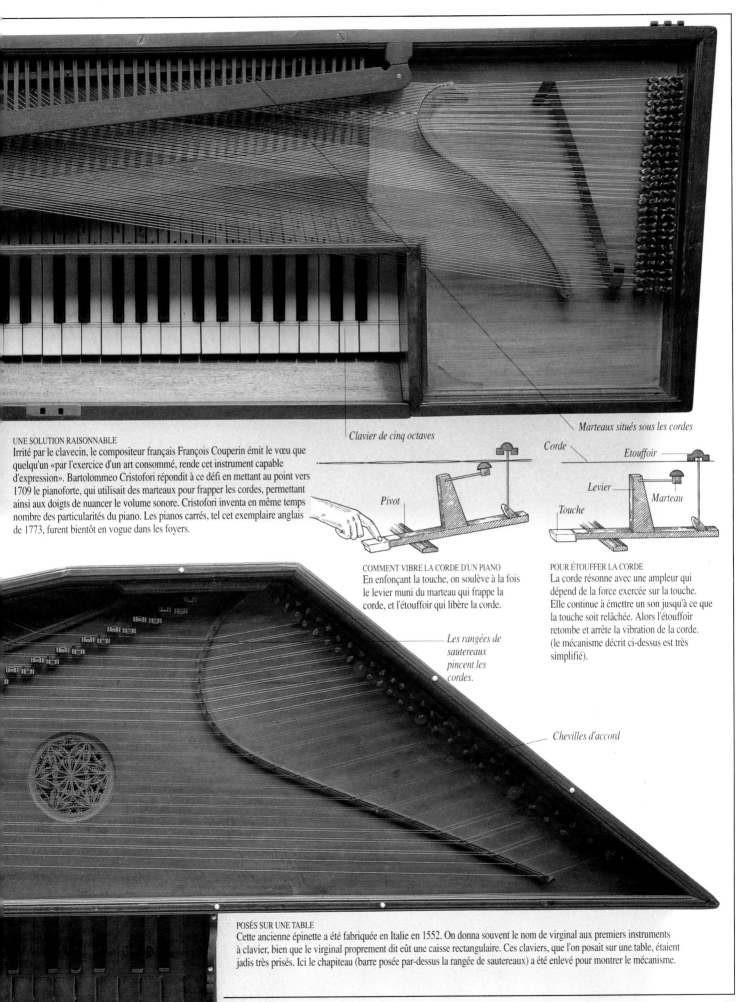

UNE SOLUTION RAISONNABLE

Irrité par le clavecin, le compositeur français François Couperin émit le vœu que quelqu'un «par l'exercice d'un art consommé, rende cet instrument capable d'expression». Bartolommeo Cristofori répondit à ce défi en mettant au point vers 1709 le pianoforte, qui utilisait des marteaux pour frapper les cordes, permettant ainsi aux doigts de nuancer le volume sonore. Cristofori inventa en même temps nombre des particularités du piano. Les pianos carrés, tel cet exemplaire anglais de 1773, furent bientôt en vogue dans les foyers.

Clavier de cinq octaves

Marteaux situés sous les cordes

Corde

Etouffoir

Levier

Pivot

Marteau

Touche

COMMENT VIBRE LA CORDE D'UN PIANO

En enfonçant la touche, on soulève à la fois le levier muni du marteau qui frappe la corde, et l'étouffoir qui libère la corde.

POUR ÉTOUFFER LA CORDE

La corde résonne avec une ampleur qui dépend de la force exercée sur la touche. Elle continue à émettre un son jusqu'à ce que la touche soit relâchée. Alors l'étouffoir retombe et arrête la vibration de la corde. (le mécanisme décrit ci-dessus est très simplifié).

Les rangées de sautereaux pincent les cordes.

Chevilles d'accord

POSÉS SUR UNE TABLE

Cette ancienne épinette a été fabriquée en Italie en 1552. On donna souvent le nom de virginal aux premiers instruments à clavier, bien que le virginal proprement dit eût une caisse rectangulaire. Ces claviers, que l'on posait sur une table, étaient jadis très prisés. Ici le chapiteau (barre posée par-dessus la rangée de sautereaux) a été enlevé pour montrer le mécanisme.

SA MAJESTÉ LE PIANO

Le piano offre au soliste des possibilités qu'aucun autre instrument n'approche. Une note différente sous chaque doigt et, pour chaque note, la plus grande plage d'intensités ; telles sont, en résumé, les caractéristiques qui font toute la richesse expressive du piano. Le répertoire classique est immense, pour piano solo aussi bien que pour piano et orchestre. Musique populaire et jazz lui ont aussi fait la plus belle part, au premier plan comme à l'accompagnement. Autant dire que le piano est partout. La moindre salle de spectacle, la moindre école se doivent d'en posséder un, et c'est également un instrument très répandu dans les familles européennes. La plénitude et le volume sonore d'un piano à queue sont généralement supérieurs à ceux d'un piano droit.

Franz Liszt, en 1824

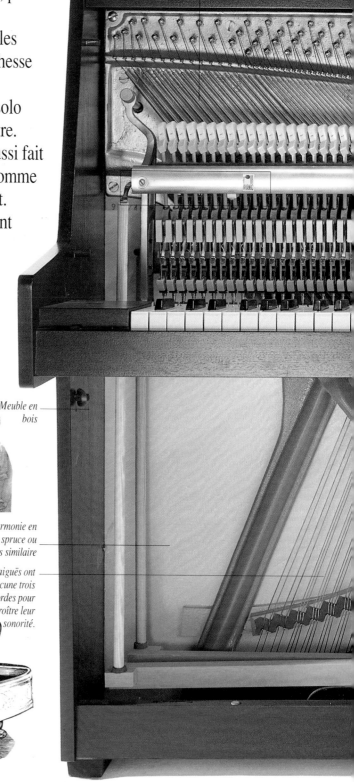

Les notes graves ont une seule grosse corde filée de longueur à peu près égale à celles du registre médian.

Meuble en bois

Table d'harmonie en épicéa, en spruce ou en bois similaire

Les notes aiguës ont chacune trois cordes pour accroître leur sonorité.

UN PIANO DANS LE SALON
Le piano était très répandu au siècle dernier, avant que le gramophone et la radio n'apportent la musique à domicile. On se rassemblait souvent autour d'un piano pour chanter ensemble, et les auberges le mentionnaient dans leur publicité, comme le font maintenant les hôtels pour la télévision couleur.

UNE FORME PRATIQUEMENT INCHANGÉE
Ce piano à queue de 1878 possède une décoration originale, mais la forme générale de l'instrument n'a guère changé depuis son invention vers 1709. La caisse est conçue pour loger les grandes cordes en acier ; elle s'incurve pour s'adapter à la taille décroissante des cordes aiguës.

HAUTE TENSION
Actuellement, tous les pianos ont un cadre en fer qui permet aux cordes une forte tension. Quand on enfonce une touche, un marteau recouvert de feutre frappe la ou les cordes correspondantes, qui entrent en vibration. La table d'harmonie amplifie les sons émis par la corde. La sonorité particulière du piano est due en grande partie à l'attaque de la corde par les marteaux.

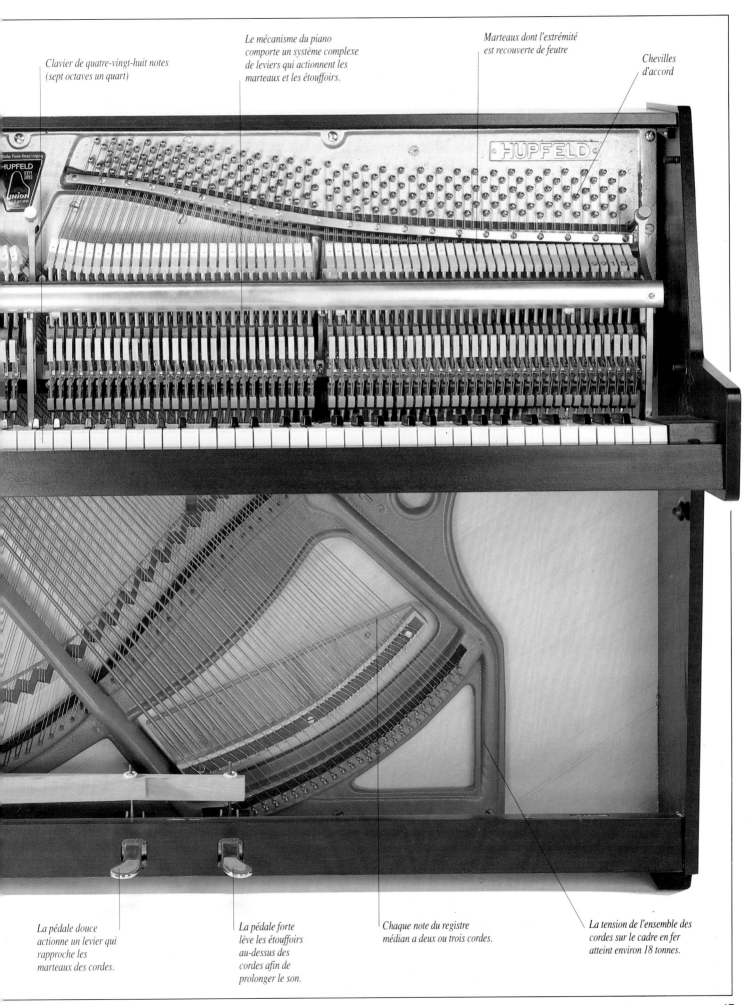

Clavier de quatre-vingt-huit notes
(sept octaves un quart)

Le mécanisme du piano
comporte un système complexe
de leviers qui actionnent les
marteaux et les étouffoirs.

Marteaux dont l'extrémité
est recouverte de feutre

Chevilles
d'accord

La pédale douce
actionne un levier qui
rapproche les
marteaux des cordes.

La pédale forte
lève les étouffoirs
au-dessus des
cordes afin de
prolonger le son.

Chaque note du registre
médian a deux ou trois cordes.

La tension de l'ensemble des
cordes sur le cadre en fer
atteint environ 18 tonnes.

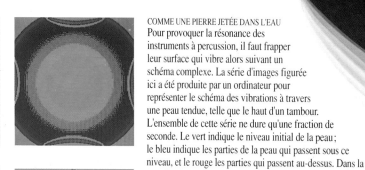

DES CHOCS TOUT EN NUANCES

A priori, les percussions sont des instruments faciles à jouer : vous les secouez ou vous les frappez et vous obtenez des sons assez peu différents de ceux que leur arrache un expert. Ce n'est qu'une apparence, car les percussions doivent s'intégrer dans les formations instrumentales auxquelles il leur faut, généralement, imprimer un rythme sans sortir du rôle qui leur est assigné. Une cymbale frappée trop fort produit un bruit distordu, incongru dans le concert. Il faut savoir mesurer sa frappe. Comme les autres instruments, les percussions font vibrer l'air qui les entoure ou qu'ils contiennent. Ainsi, la peau du tambour fait résonner l'air qui se trouve dans la caisse qu'elle recouvre. Plus elle est tendue, plus le tambour est petit et plus la note produite est élevée. Les timbales d'orchestre sont accordées pour émettre des notes précises – rappelez-vous les quatre notes de l'indicatif de «Ici Londres», l'émission destinée à la France occupée, pendant la Deuxième Guerre mondiale, reprises du thème de la *Cinquième Symphonie* de Beethoven.

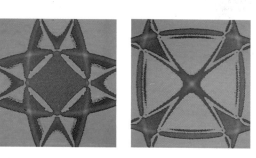

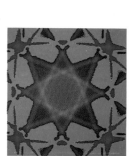

COMME UNE PIERRE JETÉE DANS L'EAU
Pour provoquer la résonance des instruments à percussion, il faut frapper leur surface qui vibre alors suivant un schéma complexe. La série d'images figurée ici a été produite par un ordinateur pour représenter le schéma des vibrations à travers une peau tendue, telle que le haut d'un tambour. L'ensemble de cette série ne dure qu'une fraction de seconde. Le vert indique le niveau initial de la peau ; le bleu indique les parties de la peau qui passent sous ce niveau, et le rouge les parties qui passent au-dessus. Dans la première image, le centre est frappé. Une onde se propage en cercles, comme les rides que fait une pierre jetée dans l'eau. Cette onde est réfléchie par les bords de la peau qui est fixée au pourtour du tambour, produisant divers schémas de vibrations. Ces schémas deviennent de plus en plus complexes au fur et à mesure que les ondes courbes s'entrecroisent, avant de se réfléchir à nouveau sur le pourtour.

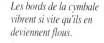

Les bords de la cymbale vibrent si vite qu'ils en deviennent flous.

DE BONNES VIBRATIONS
Une cymbale simple est un mince
disque de bronze soutenu en son centre pour
permettre à ses bords de vibrer librement. La cymbale se frappe avec une petite baguette.
L'impact provoque de légères distorsions du disque métallique, mais du fait de sa flexibilité, celui-ci revient
immédiatement à sa position initiale et renvoie ces distorsions sur toute sa surface, de la même façon qu'une peau de
tambour (à gauche). Il faut un certain temps pour que ces vibrations s'évanouissent. Quand on frappe la cymbale en
plusieurs endroits, on obtient des sons différents, parce que l'on met en action des schémas de vibrations différents.

Mince disque de bronze soutenu
en son centre

Tambour africain que l'on suspend au cou

DU RYTHME JAILLIT LA VIE

D'où les musiques rythmées tirent-elles l'énergie qui incite leurs auditeurs à frapper dans leurs mains, à battre la mesure avec le pied, à se balancer en cadence ? Ces ébauches de danse font d'ailleurs partie du jeu de certains des instruments que l'on agite, frappe ou gratte dans un mouvement de tout le corps : tambourins, grelots ou maracas. Ces instruments ne sont pas toujours entièrement dédiés à la musique : leur rôle est fondamental pour certains rituels religieux ; quant aux tambours et tam-tams, ils ont toujours eu une fonction de signalisation et de transmission.

Ces petits tambours sont mi-tambours, mi-hochets. Quand on en fait tourner le manche vigoureusement, les boules fixées au bout des cordes s'agitent et frappent les peaux des tambours avec un son de crécelle. On peut utiliser des perles de verre, des boulettes de cire ou simplement des nœuds sur les cordes. Ce *t'ao-ku* chinois avec ses cinq tambours remonte à environ 3 000 ans. L'autre instrument vient de l'Inde. Ces tambours hochets, fréquemment utilisés en Asie, servent de jouets ou permettent aux vendeurs ambulants d'attirer l'attention.

Tambour-hochet indien

Tambour-hochet chinois

Jeune garçon jouant sur une paire de tambours coniques africains

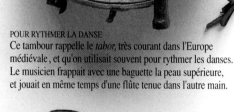

Fût en bois incrusté d'écaille et de nacre

POUR RYTHMER LA DANSE
Ce tambour rappelle le *tabor*, très courant dans l'Europe médiévale , et qu'on utilisait souvent pour rythmer les danses. Le musicien frappait avec une baguette la peau supérieure, et jouait en même temps d'une flûte tenue dans l'autre main.

TAMBOUR DE MARCHE
Les orchestres militaires comportent de nombreux tambours qui produisent un rythme régulier sur lequel les soldats peuvent marcher au pas. Le tambour est attaché par des courroies au corps de l'instrumentiste, pour lui permettre d'en jouer tout en marchant.

On frappe la peau avec les doigts ou avec un bâton recourbé.

En pressant les cordes, on accroît la tension des peaux dans les deux têtes, ce qui élève les notes.

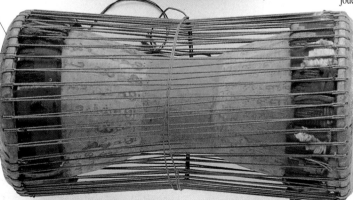

TAMBOUR À BOIRE
Les tambours en gobelets, avec seulement une peau sur le dessus, sont très répandus dans les pays arabes. Celui-ci est une *darabukka* égyptienne. Le «gobelet» est fait en céramique ou en bois. On le frappe en son centre et sur les bords avec les deux mains.

DES MOTS PERCUTANTS
Ce *kalungu* du Nigéria est un tambour «parleur», qui a la réputation de pouvoir imiter les sonorités du langage. En pressant les cordes de ce tambour en forme de diabolo, l'instrumentiste peut élever ou abaisser la note produite. Le tambour émet ainsi les sons d'un langage africain tonal.

S'ACCROCHER AUX CORDES
Le *tsuzumi* est un petit tambour en forme de sablier, très répandu au Japon. Les cordes qui relient les têtes de grand diamètre peuvent être resserrées ou détendues par les mains afin de changer la note émise.

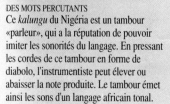

FORCE MOTRICE
Le *tabla* est l'une des deux percussions qui soutiennent le *sitar* et le *tâmpûrâ* (pp. 40-41) dans la musique indienne. Le joueur de tabla frappe avec ses doigts le centre de la peau, tout en contrôlant la hauteur de la note par la pression de la paume de la main.

À L'EXTÉRIEUR
Ce hochet nigérian a des chapelets de petites billes fixées à l'extérieur de la calebasse.

SONNAILLES
Il suffit de secouer une sonnaille pour qu'elle émette un son. De nombreuses cultures utilisaient les sonnailles dans les cérémonies rituelles. Certaines sonnailles ne sont que des colliers d'objets petits et durs tels que des coquillages ; d'autres sont faites de cailloux, de perles ou de graines enfermés dans un récipient.

SECOUE-TÊTE
Sculpté en forme de crâne humain, ce hochet de bois macabre vient d'Amérique du Nord.

UN HOCHET SUR UN BÂTON
Des écorces de fruits remplies de cailloux et montées sur un long bâton forment ce hochet d'Afrique du Sud.

BIDON MUSICAL
Traditionnellement, le *steel drum* («tambour d'acier») des Antilles est fait à partir d'un fût de pétrole. Au lieu d'une peau tendue, on utilise une cuvette métallique sur laquelle ont été délimités plusieurs panneaux qui, lorsqu'on les frappe, donnent chacun une note différente. Un orchestre comprend plusieurs «bidons» différents.

Sonnaille métallique

On frappait le *nungu* avec un bâton recouvert de peau appelé *kapchen*.

GRELOTS MAGIQUES
Ce tambour inhabituel, vu de dessous, est un *nungu* de Sibérie. Les éléments bizarres qui pendent du cadre sont appelés *kungru*, et tintent quand on frappe le tambour, comme dans un tambourin. Le nungu était utilisé par un chaman, un prêtre dont les pouvoirs magiques dépendaient du nombre de kungru. La peau du tambour est décorée de motifs rouges qui représentent les mondes supérieur et inférieur. Un tambour dans lequel une peau est tendue sur un simple cadre ouvert, comme sur celui-ci, s'appelle un tambour-sur-cadre.

UNE BATTERIE D'ENFER

Quoi de plus impressionnant qu'un batteur de jazz, comme assis sur un ressort derrière son attirail étincelant, les quatre membres en perpétuelle agitation et qui imprime son rythme à toute la formation ? La batterie représentée ici est l'outil de base du batteur. Elle peut accueillir beaucoup d'autres instruments. Certains ensembles sont équipés de deux grosses caisses, une pour chaque pied ! Le jeu de batterie exige une énergie peu commune, mais aussi une stupéfiante coordination gestuelle, car il faut souvent jouer de plusieurs instruments, en même temps et sur des rythmes différents : charleston d'un pied, grosse caisse de l'autre, «ride cymbal» d'une main, caisse claire de l'autre, etc.

La cymbale est libre de se balancer et de vibrer.

CYMBALES CHARLESTON
Il s'agit d'une paire de cymbales sur pied : quand on appuie sur la pédale, elles se ferment en produisant un bref «clash». Le batteur peut aussi faire sonner la cymbale supérieure en la frappant avec ses baguettes, puis utiliser la pédale pour l'amortir.

«CRASH CYMBAL»
Cette cymbale, comme son nom le suggère, produit un «crash» sonore quand on la frappe avec une baguette ; elle peut être employée pour souligner un climat dramatique dans un morceau de musique. La *crash cymbal* est suspendue à un pied réglable.

Cymbale supérieure

Clé de réglage de hauteur

Clé de tension

Cymbale inférieure

CAISSE CLAIRE
Au travers de la base de cette caisse se trouve un ensemble de fils tendus (non visibles ici), appelés timbres. Quand on la frappe, les timbres vibrent contre la peau inférieure, ajoutant un bref craquement au son de la caisse. Un levier permet d'enlever le timbre.

Commande du timbre

RICHE ET CÉLÈBRE
Penché sur sa batterie, le batteur de jazz Buddy Rich conduit son orchestre avec une incroyable énergie. Rich commença à jouer à l'âge de dix-huit mois, quand ses parents l'inclurent dans leur numéro sur scène. Il fut batteur toute sa vie, passant ses vingt dernières années à diriger son grand orchestre qui ne manquait certes pas de vitalité !

Pédale «charleston»

PRIS SUR LE FAIT
Lorsque cette photo fut prise, le batteur jouait un roulement rapide sur quatre tom-toms placés au-dessus d'une paire de grosses caisses. Grâce à un appareil photo muni d'un flash et d'un système de déclenchements à répétition, on peut voir ici les baguettes en action et le jeu régulier du batteur.

Cet étouffoir réglable contrôle la durée du son.

DEUX TOM-TOMS
La grosse caisse est surmontée de deux tom-toms, ou «toms». Ces petits tambours donnent des notes aiguës et relativement feutrées. Ils n'ont qu'une seule peau, qui peut être humidifiée.

TOM SUR TRÉPIED
Ce grand tom-tom produit une note résonnante grave. Le batteur peut utiliser des mailloches pour jouer sur les tom-toms, ou les frapper avec la paume de ses mains.

«RIDE CYMBAL»
Cette cymbale est souvent frappée avec une baguette pour produire un rythme de cavalcade. *Ride* signifie «aller à cheval».

Baguette

Mailloche

Balai en fil d'acier ou de plastique raide

BAGUETTES ET BALAIS
Les batteurs utilisent surtout des baguettes, des balais ou des mailloches pour jouer sur les caisses et les cymbales. Les baguettes et les mailloches donnent des sons plus bruyants que les balais.

Pédale de grosse caisse

GROSSE CAISSE
La grosse caisse est posée sur le flanc, et l'on en joue grâce à une pédale reliée à une mailloche rembourrée de feutre. Elle émet un «boum» bref et profond.

Pied recouvert de caoutchouc pour éviter tout dérapage

DES PERCUSSIONS
QUI DÉVALENT LA GAMME

Même si la gamme de notes qu'ils peuvent faire entendre est limitée, les instruments de percussion font autre chose que du bruit. Un ensemble de cloches de dimensions variées constitue un carillon ; chaque cloche y est accordée à une hauteur précise. Les carillons de nos clochers constituent, sans doute, les plus grosses percussions du monde. À l'autre bout de l'échelle, on trouve la famille des xylophones, faits de barreaux ou de lamelles, métalliques ou en bois, et dont le jeu combine rythmique et mélodie.

Battant en bois

DEUX TONS
Cette cloche double provient d'Afrique occidentale. Elle est en métal recouvert de tissu. Les cloches produisent deux notes différentes quand on les frappe avec le battant en bois.

CARILLONS CHINOIS
Les carillons remontent à l'âge de pierre. Ils étaient faits alors de plaques de pierre. Ici figure un *po-chung* chinois. Cette cloche fait partie d'un carillon, un ensemble de cloches suspendues à un cadre et que l'on frappe avec un bâton. Considérées comme des symboles de fertilité, les cloches étaient autrefois utilisées lors des cérémonies dans les temples. On frappait des notes différentes selon les saisons.

Chaîne de suspension

Protubérances représentant des mamelons

Carillon de gongs de Birmanie

LES GONGS
A la différence d'une cloche, qui produit le maximum de vibrations quand elle est frappée sur son pourtour, le gong est suspendu par son pourtour et frappé en son centre. La vague de vibrations part de la bosse centrale vers les bords du gong. Bien que dans la musique orchestrale il se borne parfois à produire un signal – ne fût-ce que pour dîner – son «boum» peut être sinistre. Les gongs sont répandus dans l'Asie du Sud-Est, et ce spécimen décoré d'animaux fantastiques vient de Bornéo. On joue souvent d'un ensemble de gongs, comme les gongs de Birmanie, disposés en demi-cercle.

Une courroie de cuir permet de tenir la clochette.

Battant

CLOCHETTES
Les clochettes sont répandues depuis le XIIe siècle. Ces deux exemples viennent d'un ensemble de clochettes, chacune étant accordée selon une note différente de la gamme. Ces clochettes contiennent un battant qui frappe le pourtour, le faisant vibrer avec un «clang». Des ensembles de sonneurs en jouent en les agitant dans un ordre précis.

Corde de suspension

Mailloche avec une tête en liège

Bosse centrale frappée par la mailloche

Temple block aigu

Temple block médium

Battes

Temple block grave

Poissons en bois sculpté

PRIÈRES CONTINUELLES
D'origine chinoise, ces instruments sont appelés des *mu-yus*, ce qui signifie «poissons de bois». Sculpté pour ressembler à des poisssons, le mu-yu symbolise la prière permanente, parce que le poisson semble ne jamais s'arrêter pour dormir. On les appelle aussi temple blocks.

ORCHESTRE DE PERCUSSIONS
Les *gamelans* d'Indonésie produisent une sonorité merveilleuse. Un gamelan est un orchestre composé surtout d'instruments de percussion, chacun exigeant une grande virtuosité. Il comprend des ensembles de gongs et de métallophones, qui ressemblent à des xylophones, mais munis de barres de bronze fixées dans des cadres décorés.

TORDEUR DE LANGUETTES
Nombre d'instruments d'Amérique centrale et du Sud proviennent d'Afrique, comme cette *sanza*, ou piano à pouces. On en joue en faisant vibrer avec les pouces les languettes métalliques, dont les longueurs différentes donnent des notes différentes. La caisse en forme de bateau et la tête sculptée sont typiquement d'Afrique occidentale, et pourtant cet instrument provient des régions supérieures de l'Amazonie.

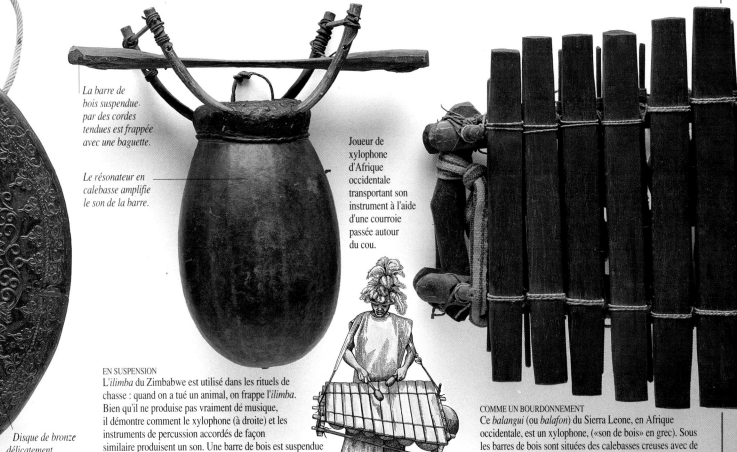

La barre de bois suspendue par des cordes tendues est frappée avec une baguette.

Le résonateur en calebasse amplifie le son de la barre.

Joueur de xylophone d'Afrique occidentale transportant son instrument à l'aide d'une courroie passée autour du cou.

Disque de bronze délicatement travaillé

EN SUSPENSION
L'*ilimba* du Zimbabwe est utilisé dans les rituels de chasse : quand on a tué un animal, on frappe l'*ilimba*. Bien qu'il ne produise pas vraiment dé musique, il démontre comment le xylophone (à droite) et les instruments de percussion accordés de façon similaire produisent un son. Une barre de bois est suspendue au-dessus d'un récipient ou d'un tube ouvert. Quand on frappe la barre, elle vibre, et ces vibrations font résonner l'air situé dans le récipient avec une sonorité creuse qui amplifie le son.

COMME UN BOURDONNEMENT
Ce *balangui* (ou *balafon*) du Sierra Leone, en Afrique occidentale, est un xylophone, («son de bois» en grec). Sous les barres de bois sont situées des calebasses creuses avec de petits trous sur les côtés, recouverts de membranes faites d'un fragment de cocon d'araignée. Les membranes ajoutent un «buzz» au son du xylophone.

CLING CRAC BOUM

Les bruits sont des sons résultant de vibrations aléatoires. Ils ont pourtant leur place dans toutes les musiques : mains frappées qui marquent le rythme dans la musique populaire, percussions orchestrales n'émettant pas de notes de hauteur définie, coups frappés sur la caisse d'une guitare. Les instruments représentés ici appartiennent à cette famille de «bruiteurs» destinés à soutenir le rythme des mélodies. La majorité d'entre eux provient des Amériques centrale et du Sud. On les secoue, on les frappe, on les gratte. Ils sont propres à créer toutes sortes d'atmosphères : quoi de plus dramatique qu'un vrai roulement de tambour ?

Sifflet de police

Sifflet de locomotive

PETITS COUPS DE SIFFLETS
Un percussionniste peut souligner un rythme en émettant de brefs coups de sifflet perçants, tandis que ses mains jouent d'un autre instrument. Les sifflets produisent aussi des effets sonores : par exemple le sifflet à trois notes (à droite) sonne comme celui d'une locomotive.

Roue dentée

Lamelles

Billes d'acier

LE CRÉPITEMENT DE LA POUDRE À CANON
En tournant la manivelle de cette crécelle, la roue dentée frappe les languettes de bois avec un crépitement bruyant. Beethoven employa une crécelle pour simuler une fusillade dans sa *Symphonie héroïque*.

HOCHET D'ACIER
La *cabaca* (prononcez «cabassa») est un hochet sud-américain présentant des billes d'acier enfilées à l'extérieur.

GRAINES ET BILLES
Les maracas sont une paire de hochets qui viennent d'Amérique du Sud. Elles sont composées traditionnellement de calebasses creuses contenant des graines, mais peuvent aussi être faites en bois puis remplies de billes. On en tient d'habitude une dans chaque main.

Graines à l'intérieur de l'écorce creuse

UN SHAKER PARTICULIER
Dans les orchestres, de nombreux percussionistes utilisent des shakers : ce sont des tubes creux contenant des billes (comme dans les maracas), que l'on secoue vivement en rythme. Certains petits shakers peuvent être placés entre les doigts pendant que l'on joue d'un autre instrument.

L'un des deux bâtons est tenu dans une main que l'on creuse pour faire caisse de résonance.

PERCUSSION CUBAINE
Ces courts bâtons de bois sont appelés *claves* et proviennent de Cuba. On les frappe l'un contre l'autre pour obtenir un bref «crack». En dépit de la simplicité apparente, il est difficile d'obtenir un rythme parfait.

Sonnaille montée dans une fente du cadre

LE TAMBOURIN
C'est un petit tambour muni de sonnailles dans son cadre. Il est souvent décoré de rubans, et peut être tenu et secoué pendant que l'on danse. Le danseur tape sur le tambourin avec ses doigts, et le secoue ou le cogne contre son corps. Un autre effet possible est un roulement obtenu en glissant le pouce mouillé le long du pourtour. Dans son ballet *Petrouchka*, Stravinsky demande au percussionniste de laisser tomber un tambourin sur le plancher !

En appuyant sur le haut de chaque castagnette, on déclenche son claquement.

CLAQUETTES À MAIN
Les castagnettes sont des claquettes tenues dans les mains. A l'orchestre, les instrumentistes peuvent utiliser la machine à castagnettes (ci-dessus).

Les deux castagnettes sont reliées par un cordon.

Danseuse de flamenco avec des castagnettes

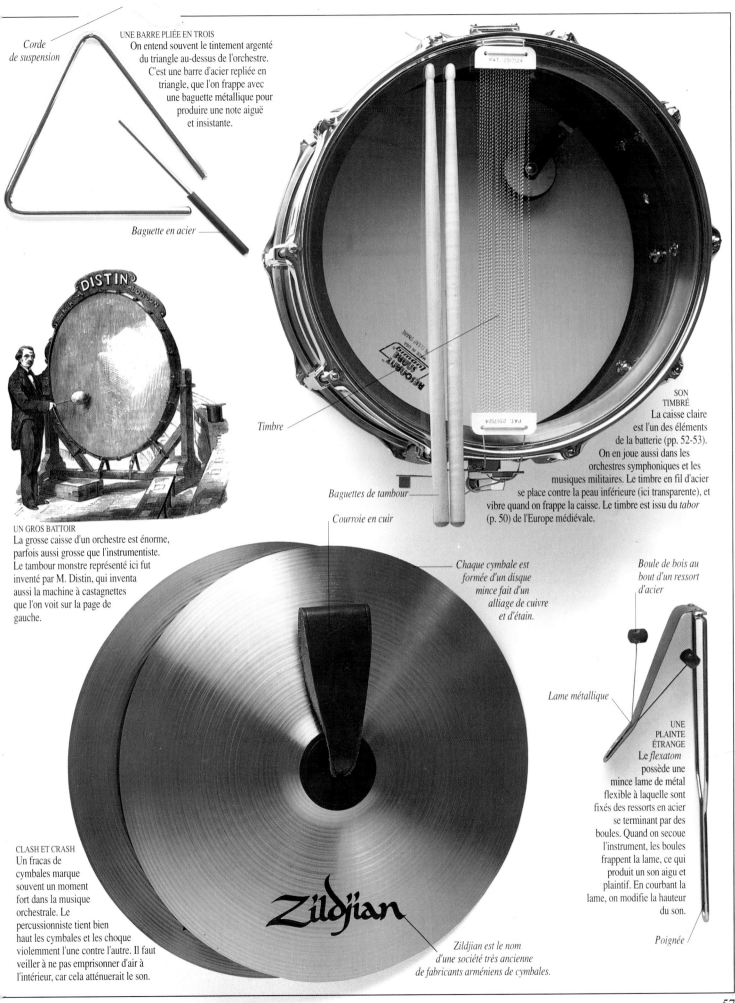

UNE BARRE PLIÉE EN TROIS
On entend souvent le tintement argenté du triangle au-dessus de l'orchestre. C'est une barre d'acier repliée en triangle, que l'on frappe avec une baguette métallique pour produire une note aiguë et insistante.

Corde de suspension

Baguette en acier

Timbre

Baguettes de tambour

Courroie en cuir

UN GROS BATTOIR
La grosse caisse d'un orchestre est énorme, parfois aussi grosse que l'instrumentiste. Le tambour monstre représenté ici fut inventé par M. Distin, qui inventa aussi la machine à castagnettes que l'on voit sur la page de gauche.

SON TIMBRÉ
La caisse claire est l'un des éléments de la batterie (pp. 52-53). On en joue aussi dans les orchestres symphoniques et les musiques militaires. Le timbre en fil d'acier se place contre la peau inférieure (ici transparente), et vibre quand on frappe la caisse. Le timbre est issu du *tabor* (p. 50) de l'Europe médiévale.

Chaque cymbale est formée d'un disque mince fait d'un alliage de cuivre et d'étain.

Boule de bois au bout d'un ressort d'acier

Lame métallique

UNE PLAINTE ÉTRANGE
Le *flexatom* possède une mince lame de métal flexible à laquelle sont fixés des ressorts en acier se terminant par des boules. Quand on secoue l'instrument, les boules frappent la lame, ce qui produit un son aigu et plaintif. En courbant la lame, on modifie la hauteur du son.

CLASH ET CRASH
Un fracas de cymbales marque souvent un moment fort dans la musique orchestrale. Le percussionniste tient bien haut les cymbales et les choque violemment l'une contre l'autre. Il faut veiller à ne pas emprisonner d'air à l'intérieur, car cela atténuerait le son.

Poignée

Zildjian est le nom d'une société très ancienne de fabricants arméniens de cymbales.

LA FÉE ÉLECTRICITÉ AMPLIFIE LES SONS

Dès l'apparition de la radio, au début du XXe siècle, l'électricité a été perçue comme un bon moyen de dépasser le volume sonore limité de certains instruments acoustiques. Ce fut, notamment, le cas pour la guitare, instrument merveilleux, mais trop discret. Le principe de cette amplification est simple : un microphone placé près de la source sonore, en l'occurrence les cordes, convertit le son en signaux électriques et les conduit à un amplificateur qui en augmente l'amplitude et les transmet à son tour à un haut-parleur, lequel retransforme ces signaux électriques amplifiés à l'aide d'une bobine magnétique fixée sur une membrane vibrante. Par la suite, ce dispositif s'est enrichi de moyens pour agir sur la constitution même du son, grâce à des filtres autorisant une amplification sélective.

Vis pour attacher la courroie

Découpes pour les micros

Caisse en bois plein

Découpe pour le chevalet

LA PIONNIÈRE DES GUITARES
La guitare électrique ci-dessus est montrée avant d'être démontée. C'est une copie de la célèbre Fender Stratocaster, communément appelée la *Strato*. En 1945, on joua pour la première fois sur un prototype. Depuis, le modèle a peu changé. La Stratocaster a introduit la caisse à double découpe, qui facilite son utilisation, le levier du vibrato pour infléchir les notes, et trois micros pour varier le son.

Les cordes se bloquent dans le chevalet.

Caisse échancrée pour permettre aux doigts d'atteindre les cases aiguës

Découpes pour les boutons de contrôle

Vis pour attacher la courroie

LEVIER DU VIBRATO
En poussant ce levier, on soulève le chevalet, ce qui modifie la tension des cordes et altère la hauteur des notes. Quand on relâche le levier, des ressorts ramènent le chevalet en position normale.

PRISE DE SORTIE
On branche un jack standard fixé au bout du câble de l'amplificateur dans cette prise.

Jack

LA STRATOCASTER MISE À NU
Voici une guitare électrique Stratocaster démontée. Sa structure générale ressemble à celle d'une guitare acoustique (p. 42) : elle a les mêmes six cordes, et on en joue de la même façon. Mais elle présente des différences importantes. La plus évidente est que la caisse n'est pas creuse, mais faite de bois massif peint en rouge. Sans son amplificateur, une guitare électrique produit un son très faible. Bien que la caisse puisse influer sur la prolongation des notes, son but principal est de procurer une plate-forme stable au chevalet qui soutient les cordes et aux micros montés dessous. Les micros convertissent les vibrations des cordes en signaux électriques. Ces signaux sont modifiés par les contrôles de volume et de tonalité, avant de quitter la guitare par la prise de sortie. Un câble conduit ce signal à un amplificateur, qui permet de nombreux contrôles, et enfin au haut-parleur.

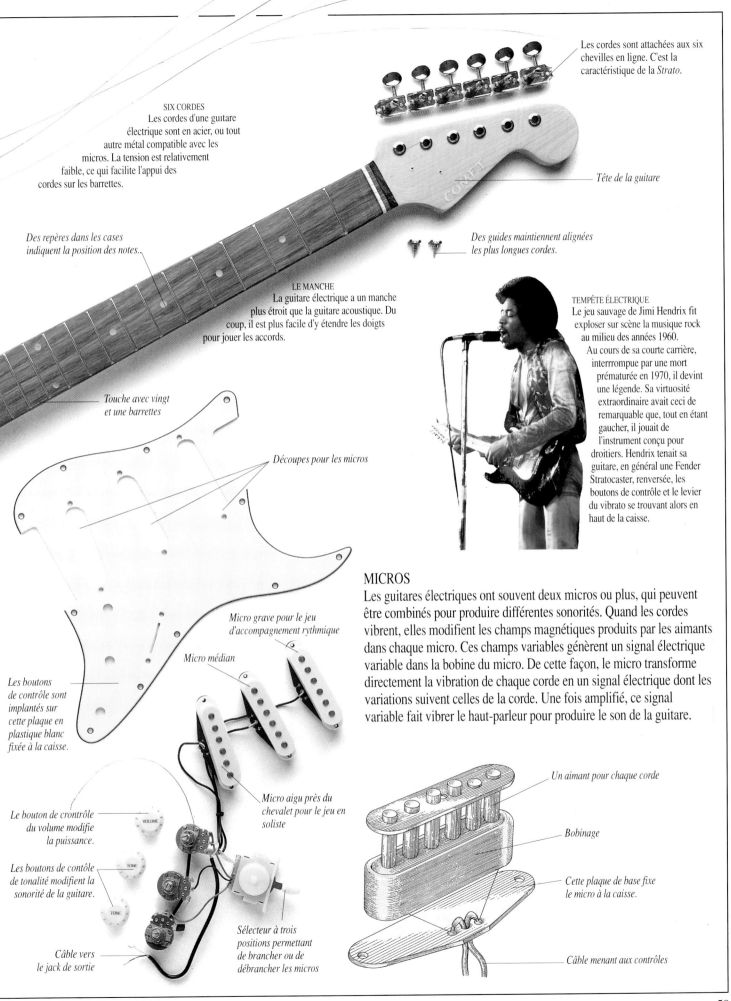

Les cordes sont attachées aux six chevilles en ligne. C'est la caractéristique de la *Strato*.

SIX CORDES
Les cordes d'une guitare électrique sont en acier, ou tout autre métal compatible avec les micros. La tension est relativement faible, ce qui facilite l'appui des cordes sur les barrettes.

Tête de la guitare

Des repères dans les cases indiquent la position des notes..

Des guides maintiennent alignées les plus longues cordes.

LE MANCHE
La guitare électrique a un manche plus étroit que la guitare acoustique. Du coup, il est plus facile d'y étendre les doigts pour jouer les accords.

TEMPÊTE ÉLECTRIQUE
Le jeu sauvage de Jimi Hendrix fit exploser sur scène la musique rock au milieu des années 1960. Au cours de sa courte carrière, interrrompue par une mort prématurée en 1970, il devint une légende. Sa virtuosité extraordinaire avait ceci de remarquable que, tout en étant gaucher, il jouait de l'instrument conçu pour droitiers. Hendrix tenait sa guitare, en général une Fender Stratocaster, renversée, les boutons de contrôle et le levier du vibrato se trouvant alors en haut de la caisse.

Touche avec vingt et une barrettes

Découpes pour les micros

MICROS
Les guitares électriques ont souvent deux micros ou plus, qui peuvent être combinés pour produire différentes sonorités. Quand les cordes vibrent, elles modifient les champs magnétiques produits par les aimants dans chaque micro. Ces champs variables génèrent un signal électrique variable dans la bobine du micro. De cette façon, le micro transforme directement la vibration de chaque corde en un signal électrique dont les variations suivent celles de la corde. Une fois amplifié, ce signal variable fait vibrer le haut-parleur pour produire le son de la guitare.

Les boutons de contrôle sont implantés sur cette plaque en plastique blanc fixée à la caisse.

Micro grave pour le jeu d'accompagnement rythmique

Micro médian

Un aimant pour chaque corde

Micro aigu près du chevalet pour le jeu en soliste

Le bouton de crontrôle du volume modifie la puissance.

Bobinage

Les boutons de contôle de tonalité modifient la sonorité de la guitare.

Cette plaque de base fixe le micro à la caisse.

Câble vers le jack de sortie

Sélecteur à trois positions permettant de brancher ou de débrancher les micros

Câble menant aux contrôles

LA GUITARE ROCK N'A SOUVENT RIEN DANS LA CAISSE

C'est la guitare électrique qui donne à la musique de rock sa sonorité caractéristique. La plupart des formations en comportent trois, qui chacune ont un registre différent : une guitare solo, très mélodique, une guitare d'accompagnement, un peu plus grave, qui soutient et enrichit la mélodie de la première, et une basse dont le rôle est tout à fait analogue à celui de la contrebasse dans les formations de jazz ou de la basse continue dans les orchestres baroques, entretien d'une véritable pulsation qui dynamise l'ensemble. Il ne manque plus que la batterie. Dans une guitare électrique, les qualités acoustiques de la caisse, souvent pleine, jouent un rôle mineur. Cela explique la variété de formes, de couleurs et de matériaux que l'on peut observer sur les scènes de music-hall.

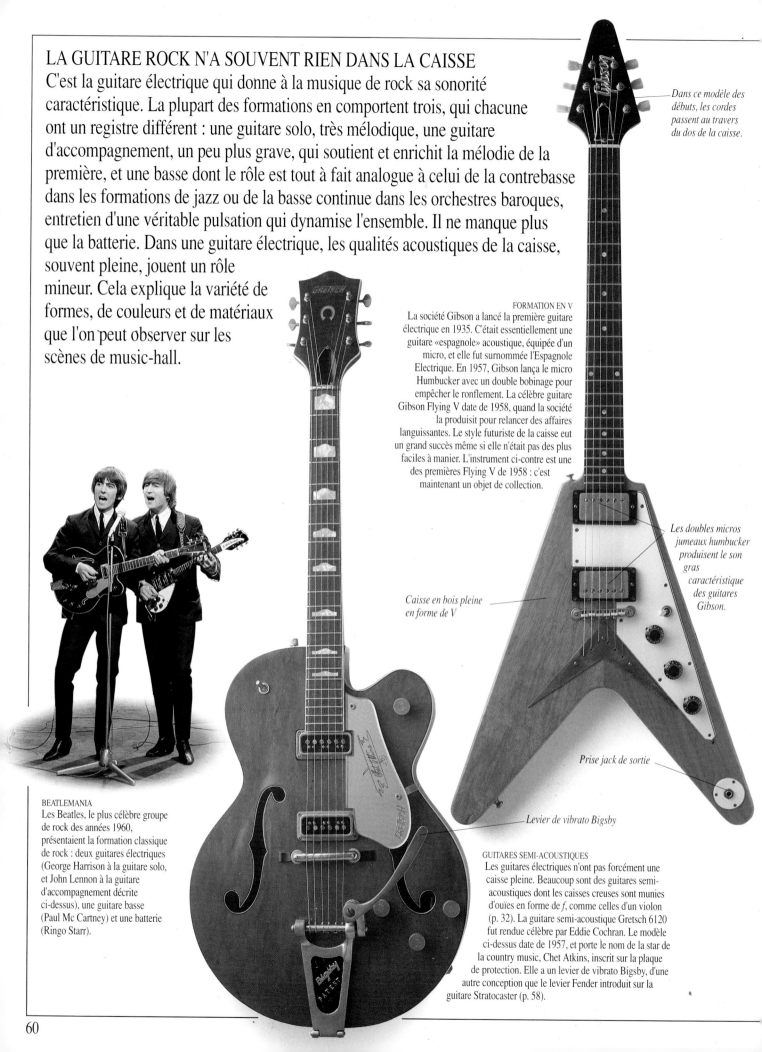

Dans ce modèle des débuts, les cordes passent au travers du dos de la caisse.

FORMATION EN V

La société Gibson a lancé la première guitare électrique en 1935. C'était essentiellement une guitare «espagnole» acoustique, équipée d'un micro, et elle fut surnommée l'Espagnole Electrique. En 1957, Gibson lança le micro Humbucker avec un double bobinage pour empêcher le ronflement. La célèbre guitare Gibson Flying V date de 1958, quand la société la produisit pour relancer des affaires languissantes. Le style futuriste de la caisse eut un grand succès même si elle n'était pas des plus faciles à manier. L'instrument ci-contre est une des premières Flying V de 1958 : c'est maintenant un objet de collection.

Les doubles micros jumeaux humbucker produisent le son gras caractéristique des guitares Gibson.

Caisse en bois pleine en forme de V

Prise jack de sortie

Levier de vibrato Bigsby

BEATLEMANIA

Les Beatles, le plus célèbre groupe de rock des années 1960, présentaient la formation classique de rock : deux guitares électriques (George Harrison à la guitare solo, et John Lennon à la guitare d'accompagnement décrite ci-dessus), une guitare basse (Paul Mc Cartney) et une batterie (Ringo Starr).

GUITARES SEMI-ACOUSTIQUES

Les guitares électriques n'ont pas forcément une caisse pleine. Beaucoup sont des guitares semi-acoustiques dont les caisses creuses sont munies d'ouïes en forme de *f*, comme celles d'un violon (p. 32). La guitare semi-acoustique Gretsch 6120 fut rendue célèbre par Eddie Cochran. Le modèle ci-dessus date de 1957, et porte le nom de la star de la country music, Chet Atkins, inscrit sur la plaque de protection. Elle a un levier de vibrato Bigsby, d'une autre conception que le levier Fender introduit sur la guitare Stratocaster (p. 58).

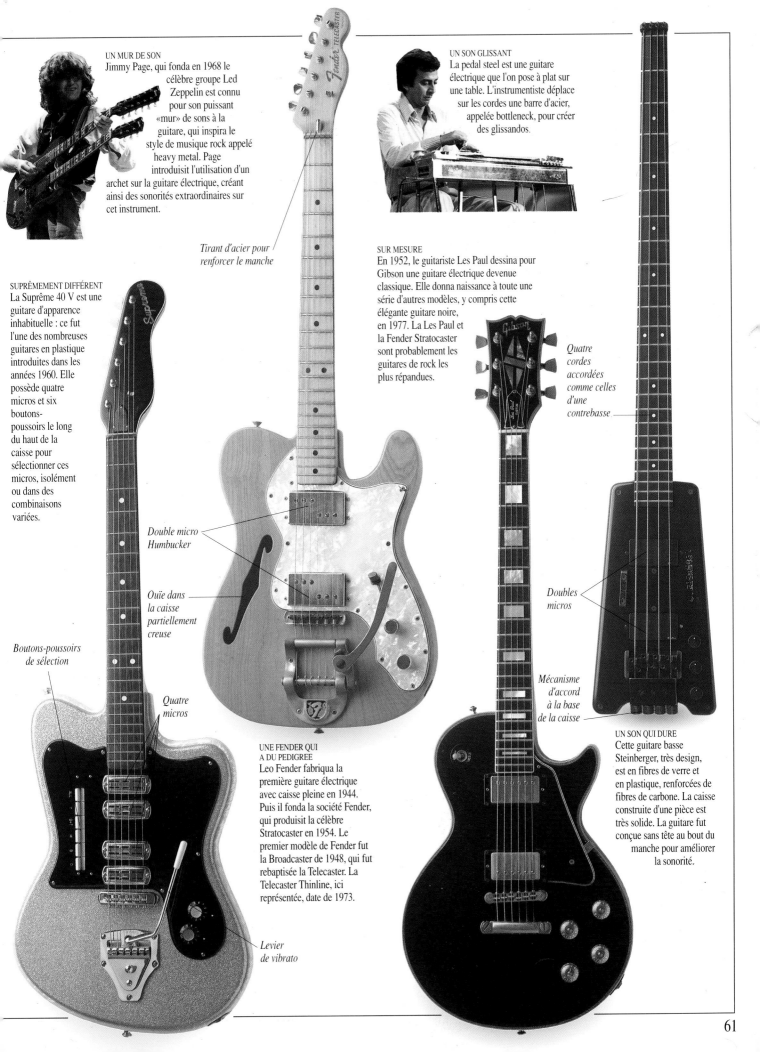

UN MUR DE SON
Jimmy Page, qui fonda en 1968 le célèbre groupe Led Zeppelin est connu pour son puissant «mur» de sons à la guitare, qui inspira le style de musique rock appelé heavy metal. Page introduisit l'utilisation d'un archet sur la guitare électrique, créant ainsi des sonorités extraordinaires sur cet instrument.

UN SON GLISSANT
La pedal steel est une guitare électrique que l'on pose à plat sur une table. L'instrumentiste déplace sur les cordes une barre d'acier, appelée bottleneck, pour créer des glissandos.

Tirant d'acier pour renforcer le manche

SUR MESURE
En 1952, le guitariste Les Paul dessina pour Gibson une guitare électrique devenue classique. Elle donna naissance à toute une série d'autres modèles, y compris cette élégante guitare noire, en 1977. La Les Paul et la Fender Stratocaster sont probablement les guitares de rock les plus répandues.

SUPRÊMEMENT DIFFÉRENT
La Suprême 40 V est une guitare d'apparence inhabituelle : ce fut l'une des nombreuses guitares en plastique introduites dans les années 1960. Elle possède quatre micros et six boutons-poussoirs le long du haut de la caisse pour sélectionner ces micros, isolément ou dans des combinaisons variées.

Quatre cordes accordées comme celles d'une contrebasse

Double micro Humbucker

Ouïe dans la caisse partiellement creuse

Doubles micros

Boutons-poussoirs de sélection

Quatre micros

Mécanisme d'accord à la base de la caisse

UNE FENDER QUI A DU PEDIGREE
Leo Fender fabriqua la première guitare électrique avec caisse pleine en 1944. Puis il fonda la société Fender, qui produisit la célèbre Stratocaster en 1954. Le premier modèle de Fender fut la Broadcaster de 1948, qui fut rebaptisée la Telecaster. La Telecaster Thinline, ici représentée, date de 1973.

UN SON QUI DURE
Cette guitare basse Steinberger, très design, est en fibres de verre et en plastique, renforcées de fibres de carbone. La caisse construite d'une pièce est très solide. La guitare fut conçue sans tête au bout du manche pour améliorer la sonorité.

Levier de vibrato

GÉNÉRATION ÉLECTRONIQUE

La musique du futur sera peut-être composée de sons créés de toutes pièces par des machines électroniques. Les synthétiseurs et autres instruments non acoustiques représentés ici ne produisent pas eux-mêmes les sons ; ils émettent des signaux électriques, lesquels sont amplifiés avant d'être transmis à des haut-parleurs qui en donnent la traduction sonore. L'intervention de l'ordinateur permet de faire varier une infinité de paramètres. Aussi autorise-t-il deux démarches : premièrement, imiter à la perfection des instruments acoustiques à partir de l'analyse numérique de leur spectre sonore ; deuxièmement, créer des sons inconnus fondés sur les calculs les plus complexes.

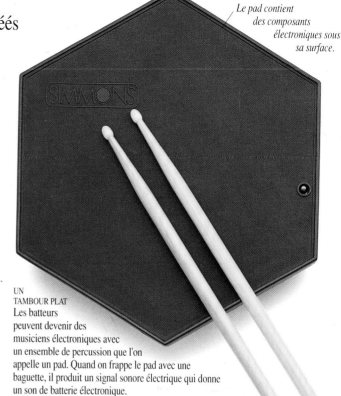

Le pad contient des composants électroniques sous sa surface.

UN TAMBOUR PLAT
Les batteurs peuvent devenir des musiciens électroniques avec un ensemble de percussion que l'on appelle un pad. Quand on frappe le pad avec une baguette, il produit un signal sonore électrique qui donne un son de batterie électronique.

HOMME ORCHESTRE
La musique pop fait grand usage des sons électroniques. L'un des pionniers en est le musicien français Jean-Michel Jarre. Il fut l'un des premiers musiciens à créer un orchestre électronique dans lequel il jouait lui-même toute la musique. Avec un ordinateur, c'est facile !

COMMANDÉ PAR ORDINATEUR
Voici un modèle courant d'ordinateur personnel qui, parmi bien d'autres possibilités, peut être relié à des instruments électroniques comme ceux qui sont décrits ici. Des logiciels musicaux sur disquettes permettent à l'ordinateur de créer, d'ordonner et de mettre en mémoire des notes de musique. On peut transformer cet ordinateur en studio d'enregistrement ; il peut corriger des notes ou des rythmes erronés et même composer.

Baguettes de batterie standard

Logiciel permettant d'enregistrer soixante sons différents

Le logiciel permet à l'ordinateur de composer de la musique.

CLAVIER ÉLECTRONIQUE
On joue de ce synthétiseur comme d'un piano ou d'un orgue. Il peut produire toutes sortes de sons réels ou inhabituels en manœuvrant les commandes situées au-dessus des touches. La fenêtre d'affichage montre quels sons ont été sélectionnés. On peut ainsi obtenir, parmi bien d'autres sons, des sons de guitare sans avoir besoin d'en pincer les cordes.

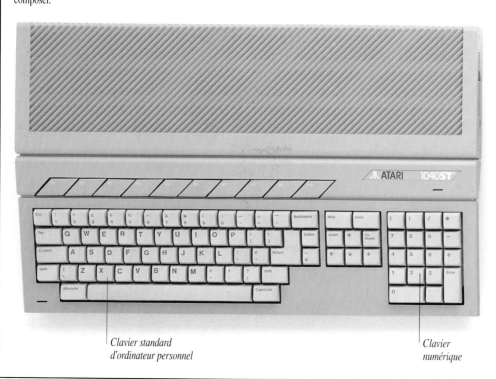

Clavier standard d'ordinateur personnel

Clavier numérique

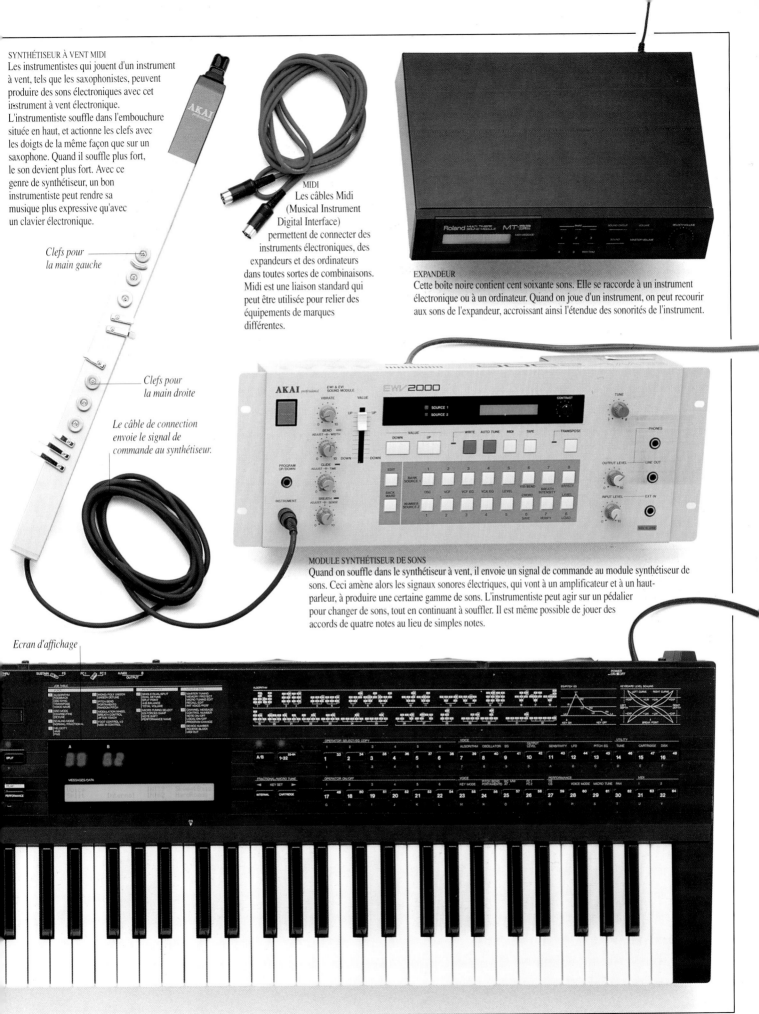

SYNTHÉTISEUR À VENT MIDI
Les instrumentistes qui jouent d'un instrument à vent, tels que les saxophonistes, peuvent produire des sons électroniques avec cet instrument à vent électronique. L'instrumentiste souffle dans l'embouchure située en haut, et actionne les clefs avec les doigts de la même façon que sur un saxophone. Quand il souffle plus fort, le son devient plus fort. Avec ce genre de synthétiseur, un bon instrumentiste peut rendre sa musique plus expressive qu'avec un clavier électronique.

Clefs pour la main gauche

Clefs pour la main droite

Le câble de connection envoie le signal de commande au synthétiseur.

MIDI
Les câbles Midi (Musical Instrument Digital Interface) permettent de connecter des instruments électroniques, des expandeurs et des ordinateurs dans toutes sortes de combinaisons. Midi est une liaison standard qui peut être utilisée pour relier des équipements de marques différentes.

EXPANDEUR
Cette boîte noire contient cent soixante sons. Elle se raccorde à un instrument électronique ou à un ordinateur. Quand on joue d'un instrument, on peut recourir aux sons de l'expandeur, accroissant ainsi l'étendue des sonorités de l'instrument.

MODULE SYNTHÉTISEUR DE SONS
Quand on souffle dans le synthétiseur à vent, il envoie un signal de commande au module synthétiseur de sons. Ceci amène alors les signaux sonores électriques, qui vont à un amplificateur et à un haut-parleur, à produire une certaine gamme de sons. L'instrumentiste peut agir sur un pédalier pour changer de sons, tout en continuant à souffler. Il est même possible de jouer des accords de quatre notes au lieu de simples notes.

Ecran d'affichage

NOTE

L'auteur et Dorling Kindersley tiennent à remercier :
Horniman Museum, Londres, ainsi que Frances Palmer et l'équipe du département de Musicologie; Pitt Rivers Museum, University of Oxford; Hélène La Rue et l'équipe du département d'Ethnomusicologie; Phelps Ltd, Londres, Rachel Douglas et Gerry McKensie; Hill, Norman and Beard Ltd, Thaxted, ainsi que Andrew Rae et Richard Webb; Bill Lewington Ltd, Londres; Boosey and Hawkes Ltd, Londres; Empire Drums and Percussion Ltd, Londres; Simmons Electric Percussion Ltd, Londres; Vintage and Rare Guitars Ltd, Londres; John Clark; Adam Glasser; Malcom Healey; Chris Cross; John Walters pour le prêt de matériel; Tim Hammond pour son aide éditoriale; Lynn Bresler; Jonathan Buckley; Tetra Designs pour la maquette des modèles photographiés pp. 6-7; Eric Clermontet pour ses conseils. Ont collaboré à cet ouvrage : François Cazenave, Jacques Marziou et Marc Simon.

ICONOGRAPHIE

(h = haut, b = bas, m = milieu, g = gauche, d = droite)

J. Allan Cash Ltd : 19 h, 24 m, 50 d, 51 g, 56 b
E. T. Archives : 8 hg
Barnaby's Picture Library : 13 bd, 17 hd
Bridgeman Art Library : 12 hg, 16 b, 21 mg, 26 b, 29 d, 30 h, 30 m, 35 hd, 36 hd, 38 hd, 40 m, 50 b
Douglas Dickens : 55 m
Mary Evans Picture Library : 6 d, 10 hg, 11 hg, 11 m, 15 hd, 18 m, 19 b, 20 hd, 22 hg, 24 b, 26 h, 29 h, 34 hd, 36 hg, 37 b, 38 g, 46 m, 46 b, 50 hg et m, 54 hg, 54 m, 57 m
Fine Art Photographic Library Ltd : 6 md, 22 hd, 36 bg, 42 h
John R. Freeman : 29 b
Sonia Halliday Photographs : 18 h, 36 b
Robert Harding Associates : 6 bg, 39 h, 41 h
Michael Holford : 8 hd, 28 hg, 36 m, 37 m
Hutchinson Library : 42 d, 38 m
Image Bank : 6 hd, 53 h
London Features International Ltd : 59 d, 61 hg, 62
Mansell Collection : 16 hg, 17 m, 20 b, 21 md, 24 h, 30 g
John Massey Steward : 28 md, 37 hd
National Gallery : 44 g
David Redfern : 23 m, 52 g, 60 m, 61 hd
Sefton Photo Library : 14 m, 13 bd, 22 g
Thames and Hudson Ltd : 46 h
Topexpress : 48 bg

ILLUSTRATIONS

Coral Mura, Will Giles et Sandra Pond
Recherche iconographique : Milly Trowbridge

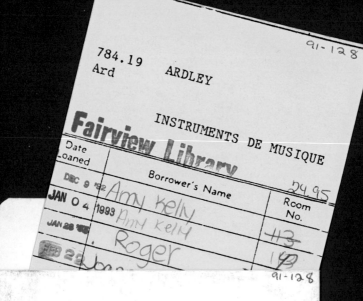